Fanny.

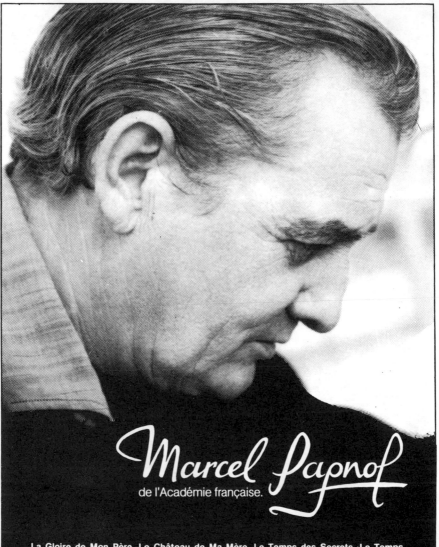

Marcel Pagnol

de l'Académie française.

La Gloire de Mon Père, Le Château de Ma Mère, Le Temps des Secrets, Le Temps des Amours, Marius, Fanny, César, Topaze, Jean de Florette, Manon des Sources, Regain, Angèle et Naïs, La Femme du Boulanger et Jofroi, La Fille du Puisatier, Merlusse et Cigalon, Judas, Jazz, Le Schpountz, Fabien, Les Marchands de Gloire, Hamlet et le Songe d'une Nuit d'Eté – traduction, Le Premier Amour, Le Secret du Masque de Fer, La Belle Meunière et Le Rosier de Madame Husson, La Prière aux Etoiles, Quatre Lettres de mon Moulin, Bucoliques – traduction, Cinématurgie de Paris, Catulle et Pirouettes, Notes sur le Rire et Critique des Critiques.

Format : 14,5 x 20,5 cm

Illustrations par : Suzanne Ballivet, Duboùt, Bellini, Bertran, Bouché, Broniarski, Lartigue.

Marcel Pagnol

MARCEL PAGNOL
de l'Académie Française

FANNY

ILLUSTRATIONS
de
SUZANNE BALLIVET

ÉDITIONS PASTORELLY

A ORANE DEMAZIS
JE DÉDIE CETTE PIÈCE

« Elle a été *Fanny* elle-même, tellement
Fanny que nous ne pourrions pas l'imaginer
différente. L'émotion profonde avec laquelle
elle a lancé, au dernier tableau, le couplet sur
la naissance de l'enfant, a magnifié sa création. Si l'ombre de Réjane erre encore sur le
proscenium de ce théâtre, elle a dû frémir
de joie. »

René FAUCHOIS.

PRÉFACE

PENDANT les représentations de Marius mon ami Lehmann, qui présidait le contrôle de la boîte à sel, m'avait souvent conseillé d'écrire la suite de Marius.

— Tous les soirs, me disait-il, tous les soirs depuis deux ans, il y a deux ou trois spectateurs qui réclament une suite, parce que ça ne peut pas finir comme ça, c'est trop triste... Alors moi, pour les consoler, je leur dis que tu as commencé à écrire la suite, et que ça sera encore mieux que Marius. Si tu te chatouillais un peu l'imagination, tu me ferais plaisir à moi aussi. Car enfin, il reviendra, ce Marius. Et alors, qu'est-ce qui va se passer ?

J'y avais pensé, moi aussi, et j'en avais parlé à Pierre Brisson, en dînant avec lui dans un restaurant des Boulevards. Il ne me parut pas très chaud.

— J'aimerais mieux, dit-il, une nouvelle pièce. Un auteur qui écrit une suite risque de donner l'impression qu'il est à bout de souffle, et qu'il tire sur la même ficelle faute d'imagination.

Mais après réflexion, il reprit :

— A moins que la seconde pièce n'ait une valeur en soi, et qu'elle puisse intéresser un public qui ignore l'existence de la première...

Ç'était tout justement ce que j'avais eu l'intention de faire. J'en parlai à Volterra, et je lui racontai le sujet de Fanny, un soir, à table. Il l'accepta aussitôt, et me dit :

— Nous créerons la pièce à la rentrée, mais je vais être forcé d'arrêter Marius à la 800e, car je suis lié par des contrats, dont je repousse l'exécution depuis deux ans. Je vais les exécuter avant la fin de la saison, pour pouvoir jouer Fanny à la rentrée, sinon je serais forcé d'en reporter la création à l'année prochaine.

On arrêta donc Marius, pour laisser la place à « Un Homme en habit », d'Yves Mirande et André Picard.

C'était une petite comédie qui avait été créée en 1920 aux Variétés, sans grand succès.

A la surprise générale, Raimu parut enchanté de quitter le rôle de César pour celui de cet « Homme en habit »; mais comme je le connaissais bien, il ne me fut pas difficile de comprendre sa joie.

Le grand Jules, fort soigneux de sa personne, était à la ville d'une remarquable élégance; non pas voyante, mais riche et de bon goût. Ses pardessus étaient admirés, et souvent copiés. Il changeait chaque jour de cravate, et le plus célèbre bottier de Paris taillait ses chaussures dans des cuirs précieux, sévèrement choisis.

Après avoir, pendant 800 représentations, porté sur la scène le tablier bleu, la casquette, et les espadrilles d'un patron de bar, il avait grande envie de rappeler à son public qu'il était capable de jouer un homme du monde, fort à son aise dans des escarpins.

Pendant que Raimu faisait sur la scène sa démonstration d'élégance je me mis au travail avec beaucoup de plaisir. A la fin de l'été, je pus lire mon manuscrit au Patron et à la Patronne. Ils en parurent enchantés, et m'invitèrent à passer quelques semaines au Cap

PRÉFACE

Camarat, à une petite lieue de Saint-Tropez.

Là, sur la crête du cap, se dressait la masse imposante d'un château moderne.

Cette somptueuse demeure avait été construite pour y abriter le malheur d'un jeune garçon étranger, de très haute naissance, mais anormal.

Les murailles du monument étaient constituées par de très gros cubes de pierre rose. La tradition tropézienne disait qu'on avait apporté ces blocs de Saint-Raphaël, soigneusement enveloppés d'un papier très épais.

La construction d'une telle masse, avec tant de soin, dura si longtemps qu'à la pose de la dernière tuile, le malheureux petit prince était mort. C'est ainsi que le château fut mis en vente, et que Volterra l'acheta.

Il allait s'y reposer de temps à autre, mais à cause de l'immensité de ce palais, il convoquait toujours quelques amis de notre métier, comme Rip, Jean Le Seyeux, Mirande, Saint-Granier. Il emmenait aussi des machinistes, épuisés par les terribles répétitions du Casino de Paris, qui reprenaient leur bonne mine en jardinant au soleil de Provence.

J'y passai plusieurs semaines des plus agréables, en allant poser le soir des palangres que nous relevions à l'aube, puis en parties de pétanque, et la nuit en tournois de belote dans les somptueux salons du château.

Saint-Tropez était encore dans sa préhistoire; c'était un très grand village de pêcheurs, fréquenté par quelques estivants, parmi lesquels la grande Colette, René Clair et un assez grand nombre de peintres, en souvenir de Signac, fondateur de l'école de la Méditerranée : c'est lui qui avait amené dans ce gros village de pêcheurs de grands artistes comme Matisse, Marquet, Bonnard, Luc Albert Moreau, et l'illustre Dunoyer de Segonzac,

*qui veille encore, au musée de l'Annonciade, sur les
chefs-d'œuvre de ses amis.*

✳

*U*N *dimanche matin, Léon, qui descendait au
village pour acheter des journaux, m'invita à
l'accompagner pour me montrer — dit-il —
« quelque chose ».*

*En sortant de la librairie, il pointa l'index vers un
peintre, debout devant son chevalet, sur la jetée.*

*— Allons voir ce qu'il fait, me dit-il. Je voudrais bien
avoir ton avis sur la valeur de ces tableaux.*

*Le peintre était vêtu d'un bleu de mécanicien. Il nous
salua d'un sourire, et reprit son travail. Il peignait une
vue du port de Saint-Tropez qui me parut fort plaisante,
avec de très belles couleurs provençales.*

— C'est votre profession ? demanda Léon.

*— Oh non ! dit le peintre. Je suis tourneur sur métaux,
et je travaille à l'usine des torpilles. Je peins comme ça,
le dimanche.*

— Depuis longtemps ?

*— Depuis des années. J'ai au moins cent toiles dans
mon grenier.*

Lorsque nous le quittâmes, Léon me dit :

— Est-ce que ces tableaux t'intéressent ?

*— Je les trouve très beaux, et très habilement peints.
Seulement, je dois avouer que lorsqu'un tableau me
plaît, mes amis peintres me rient au nez.*

*— L'opinion des peintres n'a aucune importance
répliqua Léon. Ce n'est pas aux peintres que l'on vend
des tableaux. Moi aussi, sans rien y connaître, j'aime
beaucoup ce qu'il fait, et j'ai bien envie, pour la générale de Fanny, de décorer les halls du théâtre avec des*

*toiles de ce garçon, si elles sont toutes aussi intéres-
santes que celle qu'il peint en ce moment. Et puis, nous
en mettrons dans le décor de la salle à manger de
Panisse. Il faut aller visiter son grenier.*

*Nous y allâmes deux jours plus tard, et c'est ainsi
que de grandes caisses, qui contenaient plus de cent
toiles, furent chargées sur un camion, et partirent pour
le Théâtre de Paris. Salomon, éperdu de reconnaissance,
ne savait comment nous témoigner son amitié; mais les
« vrais » peintres, les modernes, les savants, ceux qui
peignaient des tableaux pour peintres, saluaient notre
passage par des ricanements.*

*Lorsque nous rentrâmes à Paris, Léon voulut com-
mencer immédiatement les répétitions : après avoir relu
mon ouvrage, je lui demandai de m'accorder encore deux
ou trois semaines pour refaire certaines scènes, qui ne
me plaisaient plus.*

*Léon haussa les épaules, m'affirma que j'allais abî-
mer mon ouvrage, et que l'auteur dramatique fait des
pièces comme un figuier fait des figues, c'est-à-dire sans
rien y comprendre.*

*Enfin, il consentit à m'accorder trois semaines, mais
il m'avertit que si mes corrections faisaient du tort à
la pièce, il se réservait le droit de les refuser, et de jouer
la première version. Enfin, il décida que la générale
aurait lieu, irrévocablement, le 1er décembre. En attendant, il allait monter une petite reprise, et convoquer
la troupe pour les répétitions de Fanny.*

*N*OUS *eûmes une première déception.*

Par malheur, Fresnay n'était pas libre : un succès tout neuf le retenait sur une autre scène.
Cette absence était fort regrettable. Volterra me fit remarquer que Marius ne paraissait qu'au dernier acte, vers onze heures du soir, et qu'à ce moment-là la partie serait déjà gagnée ou perdue.

Nous décidâmes de remplacer Fresnay par Berval, qui était le grand jeune premier de l'Alcazar de Marseille. Il chantait, il dansait, et jouait fort bien la comédie. Les femmes l'adoraient, l'accablaient de lettres enflammées, et une troupe de belles créatures — les plus jolies filles du port, ou même de la rue Paradis — l'attendaient à la sortie, et parfois se ruaient sur lui en gémissant. Il y perdait souvent son chapeau, quelquefois même sa cravate. Spéculant bassement sur son sexappeal, autant que sur son talent, Léon engagea Berval.

Nous allions commencer les répétitions, lorsque la réponse d'Alida Rouffe nous arriva de Marseille. La chère Honorine nous annonçait qu'elle était sur un lit de douleur, dans une clinique.

Par amour de la gloire, plutôt que par intérêt, elle avait repris la route pour de petites tournées, dont elle était la directrice et la vedette. Dès le matin de son arrivée dans les petites villes de la côte, on voyait — aux deux bouts de l'avenue principale — une large bande de calicot qui annonçait sa venue aux populations :

ALIDA ROUFFE
EST DANS NOS MURS

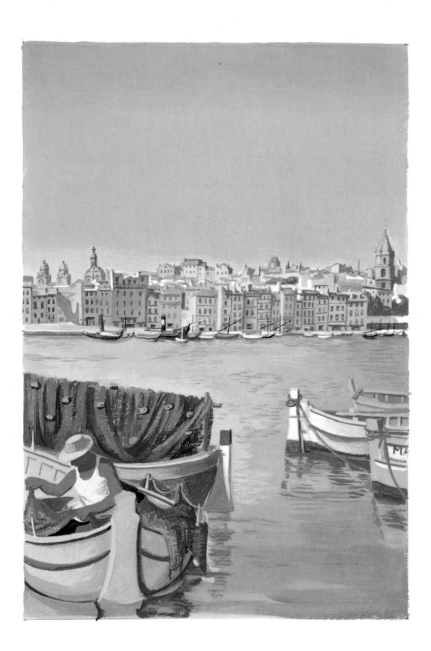

*E*LLE *obtenait toujours un grand succès, dont elle était plus fière que de sa réussite à Paris. Mais un jour — jour fatal — comme elle sommeillait dans un petit train départemental, une poutre mal arrimée sur un wagon de marchandises qui venait en sens inverse, brisa au passage la glace de son compartiment, et une longue aiguille de verre, traversant son corset à baleines, l'avait assez gravement blessée.*

Sa lettre nous disait que selon les médecins, il lui fallait deux mois au moins de repos complet, attendu qu'elle avait encore « l'embouligo tout farci de petites épines de verre qui me font des chatouilles terribles... ».

C'était une défection importante, car Alida avait conquis le public parisien, et le rôle, d'un bout à l'autre, était écrit pour elle...

Nous la remplaçâmes par une comédienne qui était célèbre à Marseille; quoiqu'elle jouât à ravir les poissonnières, elle avait renoncé à son prénom, et se faisait appeler Madame Chabert. Elle s'annonçait ainsi sur les affiches, sans doute pour s'égaler (typographiquement) à Madame Simone, qui fut avec Réjane et Sarah Bernhardt, une des trois grandes actrices de ce demi-siècle.

Quand tout notre monde fut réuni, nous commençâmes, non sans inquiétude, les répétitions.

Les premières plurent beaucoup aux machinistes. Orane Demazis, Charpin, Vattier, Dullac, jouaient leurs rôles avec une aisance admirable; le petit Maupi avait l'air d'inventer son texte; Berval, Marseillais authentique, tenait brillamment le rôle de Marius, Madame Chabert et Milly Mathis avaient spontanément trouvé le ton. Quant à Raimu, c'était encore une fois le grand Raimu, l'inoubliable. Tous les espoirs étaient permis.

Quinze jours plus tard, Léon ferma le théâtre pour

que la scène fût à notre disposition aussi bien le soir que l'après-midi. Tout s'annonçait bien, et le vieux Lehmann disait : « Au premier jour d'ouverture de la location, il y aura la queue sur le trottoir jusqu'à la rue La Bruyère ».

U*N soir, à minuit, après deux longues répétitions, je n'eus pas la force d'aller souper avec Raimu, pour aller dormir chez moi.*

Sur les trois heures du matin, des coups de sonnette répétés me réveillèrent : je trouvai devant ma porte Léon et Simone Volterra.

Sans dire un mot, Léon passa devant moi, jeta son chapeau sur un guéridon, et dit :

— Je viens te prévenir : ton ami Raimu ne jouera pas Fanny.

Il était pâle et mordait ses dents avec tant de force qu'on voyait se gonfler les muscles sous chaque oreille.

Je crus à un malheur.

— Il est mort ?

— Oui, dit Léon. Pour moi, il est mort. Par qui veux-tu le remplacer ?

Je fus stupéfait, car je les avais quittés fort bons amis. Je demandai :

— Que s'est-il passé ?

— C'est une affaire personnelle. Je te donne ma parole que cet individu ne remettra jamais les pieds chez moi.

Je regardai la Patronne. Elle me présenta un profil impérial, et ne dit rien.

Je compris qu'ils avaient sans doute passé la soirée ensemble et qu'après un souper au Fouquet's ou chez

*Maxim's, Jules, une fois de plus, s'était mis en colère
et avait donné une petite représentation publique du
plus mauvais goût. J'espérai cependant que des injures
proférées après une heure du matin ne justifiaient que
faiblement une rupture définitive, après une collabora-
tion de tant d'années, et qu'il suffirait de gagner du
temps.*

*— Asseyez-vous, dis-je, et buvons d'abord quelque
chose, car je ne suis pas tout à fait réveillé, et je me
demande si je ne rêve pas.*

*La Patronne prit un siège, mais Léon resta debout,
muet, les poings dans les poches.*

*Je servis, en silence, trois petits verres de Chartreuse
jaune. Léon répéta :*

— Qui veux-tu que j'engage à sa place ?

*— Il faut prendre une décision tout de suite, dit la
Patronne. Nous avons pensé à Francen ou à Harry Baur.*

*— Ma chère Patronne dis-je, je ne sais pas ce qui s'est
passé, mais je vois que vous êtes tous les deux en colère,
et qu'il est trois heures du matin. Il serait tout à fait
déraisonnable de prendre une décision avant d'avoir
dormi.*

*— La mienne est prise, dit Léon. Viens demain de
bonne heure à la répétition et tu assisteras à son exécution publique.*

*Ils sortirent, sans avoir touché à leurs verres. J'étais
un peu inquiet, mais persuadé que l'affaire serait arran-
gée dès le lendemain.*

*Quel pouvait être le motif de cette décision radicale ?
J'essayai de téléphoner à Jules. Point de réponse. Pensif,
je pris un verre de Chartreuse pour me réconforter.*

*Je l'avalai d'un trait, et je fus tout à coup écœuré :
assez mal informé sur la location des alcools, et trompé
par la belle couleur jaune d'or, j'avais servi de l'huile*

d'olive.

Le lendemain matin j'appelai Jules; sa fidèle concierge me répondit qu'il venait de sortir. A midi, il n'était pas rentré.

Lorsque j'arrivai au Théâtre de Paris, la répétition était déjà commencée. Charpin et Demazis étaient en scène. Au milieu de l'orchestre, je vis Léon et la Patronne, siégeant côte à côte. Au premier rang, quelques acteurs qui attendaient leur tour. Raimu n'était pas là.

J'allai m'asseoir près de Léon. Il écoutait les comédiens, immobile et froid comme un marbre, et la Patronne n'accordait pas le moindre sourire aux effets comiques de Charpin, qui d'ailleurs ne faisaient rire personne, pas même lui...

A la fin de la scène, Raimu entra sur le plateau par le fond. Le chapeau sur la tête, son manuscrit sous le bras. Il s'avança vers Charpin, et dit son texte.

— O Panisse, pourquoi tu t'enfermes comme ça ? C'est pour compter tes sous, vieux grigou ?

Maître Panisse n'eut pas le temps de lui répondre. Volterra s'était levé, et il dit d'une voix forte :

— Monsieur Raimu, allez consulter le billet de service.

Jules, surpris, hésita un instant, et sortit, car le billet de service était affiché tous les jours dans le couloir des loges.

Il y eut un lourd silence. Tous les comédiens l'avaient lu, ce billet. Il disait : « M. Raimu ayant gravement manqué de respect à son directeur, son contrat est résilié. »

Raimu reparut. Il s'avança jusqu'à la rampe, et dit simplement :

— A qui faut-il remettre le manuscrit ?

— A monsieur Henriot, dit Léon.

Le régisseur s'avança vers Jules, qui lui tendit le gros

cahier rouge, puis sans mot dire, nous tourna le dos et sortit de scène. Pendant trente secondes, personne ne parla, ni ne bougea.

Je le rejoignis dans l'entrée du théâtre.

— Jules, dis-moi ce qui se passe.

— Il se passe que M. Volterra m'a résilié.

— Dis-moi pourquoi.

— Ça n'arrangerait rien.

— Écoute; je sais bien que cette brouille ne durera pas plus de huit jours, et ce sera huit jours de perdus pour notre travail. Est-ce que tu ne trouves pas que c'est ridicule? Dis-moi d'abord: qui est-ce qui a commencé?

— Si tu me le demandes, c'est parce que tu crois que c'est moi! Par conséquent, tu lui donnes raison!

— Je ne donne raison ni à l'un ni à l'autre, puisque je ne sais même pas de quoi il s'agit; mais je sais que dans toutes vos querelles, c'est toi qui a crié le premier...

— C'est peut-être moi qui crie le premier, mais ce n'est jamais moi qui commence la dispute. Je crie, parce qu'on me dit des choses qui me font crier.

— Puisque tu avoues que tu as crié le premier, c'est à toi de faire le premier pas... Si tu veux, je vais lui dire que tu regrettes ce qui s'est passé, qu'une amitié de trente ans ne peut pas finir aussi bêtement... Qu'en penses-tu?

— J'en pense que si tu tiens absolument à lui dire quelque chose de ma part, je te charge de lui affirmer que je suis heureux d'être enfin délivré de cet esclavage, et que par sa perfidie, il vient de me rendre un grand service.

— Et ma pièce?

— Tu n'as qu'à la lui reprendre: je te la jouerai ailleurs.

Il me quitta brusquement, en faisant sonner le trottoir sous ses talons.

En rentrant dans le hall, j'y trouvai Léon. Il vint vers moi, l'œil mauvais.

— Qu'est-ce que t'a dit cet imbécile ?

— Évidemment, il n'est pas content... Il a été très surpris par cette décision extraordinaire... Mais j'ai l'espoir qu'avant trois jours il reviendra s'expliquer, et sans doute s'excuser...

— Ce serait amusant! Ça me plairait de le mettre à la porte une seconde fois! Par qui veux-tu que je le remplace ?

— Personne ne peut le remplacer. Il nous manque déjà Fresnay et Alida. Sans lui, il vaut mieux remettre Fanny à l'année prochaine. Parce que je vous connais tous les deux, et je sais bien que tout ça finira par un grand dîner quand ce sera trop tard.

— Jamais, entends-tu ? Jamais ce monsieur ne reparaîtra dans mes théâtres. Jamais! Tu peux le lui dire de ma part.

Les répétitions continuèrent, le rôle de César étant lu par Henriot. Cependant, je faisais la navette entre les deux ennemis, en édulcorant grandement les déclarations que chacun d'eux me chargeait de transmettre à l'autre, et qui se réduisirent très vite à des insultes, puis à des accusations aussi graves que ridicules.

Naturellement, ce fut Raimu qui trouva la plus forte.

Léon aimait à raconter qu'au temps de sa jeunesse, il avait été marchand de programmes à la sauvette devant les théâtres ou les music-halls.

Ces programmes, imprimés sans autorisation par un entrepreneur pirate, faisaient une concurrence déloyale à ceux de l'établissement; parfois la police conduisait au poste les vendeurs. Les jours de rafle, Léon y retrouvait

*plusieurs confrères; un garçon du bar voisin leur appor-
tait de la bière, ils commençaient alors une belote, et
le brigadier de service arbitrait les coups douteux. A
minuit, on les libérait, sans autre sanction... .*

— Ça nous arrivait une fois par mois, avait dit Léon.

*C'est pourquoi, à ma cinquième tentative de concilia-
tion, comme je demandais à Jules de réfléchir, et de
reconnaître qu'il n'avait jamais eu l'intention d'insulter
son directeur, il répliqua :*

*— Tu diras à ton ami, que jamais je ne retournerai me
mettre sous les ordres d'un pilier de commissariat de
police.*

*Ils finirent d'ailleurs par m'insulter moi-même, et
j'abandonnai la partie, mais je m'irritai à mon tour.*

*— Mon cher Léon, dis-je, votre querelle est peut-être
très intéressante, mais je ne veux pas en faire les frais,
car nous courons à un four. Je retire donc ma pièce; je
vous la rendrai quand vous serez réconciliés.*

— Tu ne me la rendras donc jamais.

*— Dans ce cas, je la présenterai dans un autre théâtre,
dont le directeur fera passer l'intérêt de l'ouvrage avant
ses querelles personnelles.*

*— C'est-à-dire que tu prends le parti de ton ami
Raimu!*

*— En aucune façon. Le parti que je prends, c'est le
mien. Et je vous retire Fanny.*

*— Je te remercie de ta gentillesse, mais je dois te
signaler que tu commets une erreur. Crois-tu vraiment
que tu as le droit de me reprendre ta pièce ?*

*— Certainement. La distribution devait être faite d'un
commun accord. Elle a été faite, et on n'y peut plus rien
changer sans l'assentiment des deux parties. Or, je
refuse le mien, et je reprends mes droits.*

Léon fit un petit sourire.

— *Tu ignores donc ce que dit le contrat entre les directeurs et la Société. Il précise que si un acteur de la troupe n'obéit pas au directeur, celui-ci a le droit de le remplacer par un autre acteur que l'auteur devra désigner. J'attends donc ton choix.*

— *Et si je refuse de choisir ?*

— *Tu devras me rembourser d'abord tous les frais engagés, plus une indemnité pour les bénéfices que je pouvais espérer. On les évaluera d'après ceux de Marius, qui sont considérables. D'autre part, il te faudra indemniser tous les comédiens pour les répétitions, et payer leurs salaires pour trente représentations. Remarque que je suis bon prince : si tu veux véritablement prendre à ta charge tous ces frais, donne-moi trois millions, et n'en parlons plus !*

Cette somme, en 1931, correspondait à plus de cent cinquante millions de francs Pinay. Mon agent, Morazzani, me dit que la demande était peut-être exagérée, mais qu'elle était solidement fondée, et qu'il valait mieux capituler.

Léon me dit alors :

— *Je te propose encore une fois Harry Baur qui a brillamment créé ta pièce Jazz, et qui l'a menée jusqu'à ta première centième. C'est un grand comédien, et très certainement supérieur à « ton Ami ». Mais il faut l'engager dans les trois jours, sinon il va signer ailleurs.*

Harry Baur fut l'un des plus grands acteurs de notre temps. Son autorité, sur la scène ou sur l'écran était souveraine. Il passait sans effort du drame le plus noir à la comédie bouffe, et il savait son métier aussi bien que l'illustre Lucien Guitry.

D'autre part, il avait fait à Marseille une partie de ses études, et son accent était d'un naturel parfait.

Cependant, je savais que le public, avant de l'avoir vu

*sur la scène, regretterait l'absence de Raimu, aggravée
par celle de Fresnay et d'Alida Rouffe. La partie à jouer
serait bien difficile : c'était l'avis des machinistes, de la
buraliste, et de Lehmann.*

*A l'ouverture de la location, quelques jours avant la
générale, on ne vit point cette queue qui devait remonter
jusqu'au coin de la rue La Bruyère. Seule, derrière son
guichet, Juliette mordillait son inutile crayon bleu. Les
agences théâtrales, dont la confiance assure au moins
le départ d'une pièce, les riches agences ne retenaient
pas un seul rang de fauteuils, ni même un fauteuil...*

*La veille de la générale, Lehmann m'annonça que
deux places étaient louées pour la première. Il ne déco-
lérait pas.*

*— Deux fauteuils loués! disait-il. Pas trois, pas
quatre, Deux! Dans toute ma carrière, dans les pires
catastrophes, je n'ai jamais vu ça! Voilà comment ils
sont! Ça vient vous pleurer dans le gilet pour réclamer
la suite, et ça vous laisse tomber froidement! Et pourquoi? Parce qu'on leur a changé trois acteurs! Ils n'ont
même pas la curiosité de voir M. Harry Baur, qui est
formidable, ni la pièce de l'auteur, qui est bien mieux
que Marius... Enfin, il n'y a rien à faire, c'est comme ça.*

*Le soir de la générale arriva. Volterra avait fait gran-
dement les choses.*

*Les vastes salons du Théâtre de Paris étaient tapissés
par plus de cent toiles de Salomon, qui n'avait pas osé
se montrer. L'éclairage avait été doublé par les soins de
Valentin, et il y avait, au pied des murs, de grandes
corbeilles de fleurs de mimosa, que les ouvreuses distri-
buaient aux dames.*

*Lehmann était sombre. Il n'avait pas eu à refuser (car
c'était son jour de souveraineté) la cinquantaine d'hiron-
delles de générale qui se traînaient d'ordinaire à ses*

pieds pour obtenir le strapontin auquel elles n'avaient pas droit.

Une vieille ouvreuse me dit à mi-voix :

— Ils n'ont pas l'air chauds. Ils parlent tous de Raimu et de Fresnay.

J'allai voir Baur dans sa loge. J'y trouvai notre directeur, qui fumait un cigare, et qui me parut non seulement optimiste, mais joyeux.

— Tu vas voir, me dit-il, que l'on peut se passer de ton Ami! Baur parachevait son maquillage. Charpin entra, rayonnant.

— Regardez-le, dit Baur. Il sait bien qu'il a le plus beau rôle!

— Oui, dit Charpin gentiment. C'est moi qui ai le plus beau rôle, mais ce n'est pas moi qui ai le plus grand talent.

A *la fin du premier acte, la partie semblait gagnée, et nos espions de l'entr'acte vinrent nous rapporter les propos rassurants qu'ils avaient entendus dans les salons. Harry Baur avait un grand succès personnel, et Milly Mathis, dans la dernière scène de l'acte, avait conquis toute la salle par sa verdeur spontanée, et la fraîcheur d'une voix éclatante.*

Le second acte fut coupé plusieurs fois par des applaudissements, et lorsque Orane Demazis, entre Harry Baur et Charpin, revint saluer le public, des centaines de bouquets de mimosa tombèrent sur la scène, et la représentation fut un grand succès.

Lehmann, tout ragaillardi, me dit :

— Je crois que nous sommes sauvés, mais il faut attendre la critique : les comptes rendus ne paraîtront

*qu'après-demain, et la location va démarrer l'après-midi.
Nous allâmes souper en pleine euphorie.*

*L*E *lendemain matin, vers dix heures, le téléphone
me réveilla. C'était Lehmann.*

— *Viens tout de suite : le patron veut te voir.*

— *Pourquoi ?*

— *Ma foi, je n'en sais rien... Peut-être quelques petites
coupures...*

— *Dis-lui qu'après le succès d'hier au soir, je ne vois
absolument rien à couper.*

— *Viens le lui dire toi-même.*

Et il raccrocha.

Inquiet et furieux, je partis pour le théâtre.

*Une longue queue sortait du hall, et s'allongeait sur
le trottoir de la rue Blanche.*

Lehmann, triomphal, m'accueillit.

— *La queue n'arrive pas encore à la rue La Bruyère,
mais elle l'atteindra vers midi...*

*Il n'était nullement question de coupures. Le Patron,
grand expert en publicité, avait demandé un service
d'ordre, comme s'il redoutait quelque bagarre, et trois
superbes gardiens de la paix, visibles de fort loin, cana-
lisaient le flot descendant : alors Lehmann téléphona
aux « échotiers » qu'il avait dû appeler la police pour
contenir « la ruée d'une foule en délire », pendant que
Juliette, avec une rapidité magique, distribuait loges
et fauteuils.*

*V*OILA *l'un des mystères du théâtre, car il ne s'agit pas d'un fait unique, mais d'un cas général.*

Dix heures à peine après le dernier rideau, tous ces gens, au réveil, avaient appris notre succès, avant que l'opinion des critiques se fût exprimée dans les journaux... D'ailleurs, pour un échec, le résultat est inversement le même.

Une seule explication vient à l'esprit; les spectateurs de la générale ont téléphoné à leurs amis, mais c'est difficilement croyable. Il faudrait que plusieurs centaines d'entre eux aient pris la peine d'appeler leurs connaissances vers une heure du matin, ou dès leur réveil. On peut invoquer également les courtes notes du « soiriste » qui paraissent dans quelques journaux du matin, mais cette explication qui me semble insuffisante, est sans doute la seule possible, et elle prouve le très grand intérêt que le public parisien accorde à l'art dramatique.

*F*INALEMENT, *quoique la carrière de la pièce ait été brillante, ses recettes n'atteignirent pas celles de Marius. On ne loua pas les gradins, ni le strapontin à vapeur, et il y eut souvent quelques places vides à l'orchestre, astucieusement remplies par Lehmann qui faisait descendre sans supplément quelques spectateurs des galeries, en leur disant que M. Volterra venait de lui ordonner de leur faire cette « gracieuseté ».*

Le grand triomphateur, ce fut Salomon.

Dès le premier jour, des spectateurs, séduits par la lumière des tableaux exposés dans les halls, demandèrent au contrôle s'ils n'étaient pas à vendre.

L'astucieux Lehmann fit d'abord l'ignorant, parla de

« *Collection particulière* », *et promit d'en parler au peintre, et à M. Volterra.*

Léon consulta Salomon sur les prix qu'il fallait demander. Salomon répondit par un chiffre ridicule, que Léon feignit d'accepter, mais qu'il ordonna à Lehmann de tripler, en prévenant les acheteurs que les toiles ne leur seraient livrées qu'à la fin des représentations.

Le succès fut immédiat, mais Lehmann n'en dit rien au peintre, qui venait chaque jour « faire un petit tour » au théâtre, et voyait avec une grande inquiétude que la collection restait toujours complète... Enfin, un soir, Léon, qui avait le cœur bon, l'appela dans son bureau, et lui tendit un chèque si important que Salomon crut d'abord à une méchante plaisanterie; mais quand il comprit que c'était un vrai chèque, il ouvrit des yeux énormes, et s'écria :

— Ce coup-ci, je vais me payer quelque chose...

Il reparut le soir dans un costume de golf, avec des chaussures anglaises à semelle épaisse, des bas verts, le pantalon bouffant, et une casquette à carreaux.

— Ho ho! dit Volterra, tu sais jouer au golf?

— Non, dit Salomon, et je n'essaierai jamais; mais le costume me plaît. Il est commode. Il y a de grandes poches... Et puis, j'en avais envie depuis dix ans...

*C*E *ne fut pas un très grand peintre, mais un vrai peintre, qui a connu de belles réussites. Il m'a montré plus tard, avec une légitime fierté, un numéro d'une revue d'art américaine qui était consacrée à son exposition de New York, où il avait eu un très grand succès. Sa peinture est simple et franche, ses couleurs rendent admirablement la Méditerranée et le*

ciel de Provence, et l'on a toujours plaisir à les regarder.

V ERS la 400ᵉ, on ne jouait plus à bureaux fermés, sauf le samedi, et parfois le dimanche après-midi.
      Cependant, Léon pensait que la pièce avait encore « cent cinquante représentations dans le ventre »; mais sa carrière fut écourtée par ma faute.

Le succès du film tiré de Marius, les merveilleuses ressources que le nouvel art mettait à la disposition de l'auteur, et son extraordinaire puissance de diffusion m'avaient ébloui... Le distributeur m'annonçait qu'avec deux cents copies, Marius était joué 150 fois par jour dans les salles de Paris et de province. Pour des gens de théâtre, qui fêtaient alors une centième comme un glorieux événement, c'était un miracle comparable à celui de l'invention de l'imprimerie pour les écrivains : c'est pourquoi j'attendais avec impatience le moment de porter Fanny à l'écran, et je voyais avec un coupable plaisir la baisse progressive des recettes du théâtre.

J'avais déjà établi le scénario et les dialogues du film, en ajoutant à la pièce quelques scènes qu'on n'aurait pu réaliser au théâtre.

Ce film, j'avais résolu d'en être le producteur, car la Paramount venait de massacrer Topaze. J'en parlai à mon ami Roger Richebé et nous fondâmes une société de production, avec l'intention de tourner en juin, en confiant la mise en scène à Marc Allégret, qui fut l'un des premiers cinéastes à comprendre les richesses de l'art nouveau.

Lorsque j'annonçai — assez timidement — que le film serait réalisé pendant l'été de 1932, Volterra se fâcha tout rouge, et m'appela « renégat ».

PRÉFACE

C'était en effet l'époque où le film parlant semblait devoir ruiner le théâtre en lui prenant ses salles, ses comédiens et son public. Les directeurs de théâtre se plaignaient amèrement de cette invasion, comme font aujourd'hui les exploitants de cinéma, durement touchés par la télévision.

J'expliquai à Léon qu'à mon avis le film tiré de Fanny relancerait la pièce, qui allait atteindre sa 400e, et dont les recettes fléchissaient. Cette explication ne fit que l'irriter davantage : il m'annonça solennellement qu'il arrêterait les représentations théâtrales le jour même de la sortie du film.

Je savais qu'il le ferait, mais l'entreprise cinématographique me parut beaucoup plus importante que la prolongation de la pièce, et mon manuscrit fut réalisé en 1932 par Marc Allégret avec une sensibilité et une autorité qui eurent une grande part dans le succès de l'ouvrage.

Il me fut assez pénible de reprendre à Baur, à Berval, à Madame Chabert les rôles qu'ils avaient créés sur la scène, pour les rendre sur l'écran aux interprètes du film précédent; en effet, les distributeurs et les exploitants avaient été formels : l'immense clientèle des cinq mille salles attendait Raimu, Fresnay et Alida, et n'accepterait aucun remplaçant. Leur thèse me fut confirmée plus tard.

Volterra arrêta les représentations pendant que le film était encore au montage : puis, il exigea une projection privée, et vit notre ouvrage le premier, sans un mot, et sans un sourire. Enfin, il déclara :

— Moralement, ce film m'appartient. Si tu es honnête, tu vas m'en réserver l'exclusivité à Paris, pour mon cinéma de Marigny.

Ce fut une grande réussite, et Léon me rendit son

amitié, c'est-à-dire qu'il renonça à me parler d'un air glacé et les poings dans les poches.

*L*ORSQUE j'avais constaté que Fanny, sur la scène, n'avait pas eu une réussite égale à celle de Marius, j'en avais tiré diverses conclusions. J'avais d'abord pensé que Pierre Brisson avait raison, et qu'une « suite » n'inspirait pas confiance au public; puis, que le sujet de mon ouvrage était trop banal; mais les résultats de l'exploitation des films m'ont appris que je me trompais.

Un distributeur statisticien a établi que depuis trente ans, lorsque les trois films passent dans la même salle, à quelques semaines d'intervalle, si la recette de Marius est 100, celle de Fanny est 108, celle de César 95.

J'en conclus donc que l'absence de Raimu, de Fresnay et d'Alida Rouffe a pesé lourdement sur le succès de l'ouvrage au théâtre, malgré l'excellence de leurs remplaçants qui étaient longuement applaudis chaque soir. Le public est fidèle, et il a bonne mémoire.

Dans le film de Fanny, Dullac, malade, n'avait pu tenir son rôle d'Escartefigue. Nous l'avions remplacé par Mouriès, qui l'avait longuement joué dans les tournées, avec beaucoup de succès : j'ai reçu à ce sujet plus de cent lettres de protestation, et il m'arrive encore d'en recevoir aujourd'hui.

On a tiré deux films étrangers de cet ouvrage, l'un en italien, l'autre en anglais et à ce propos, voici un petit mystère de linguistique.

Dans le midi, lorsqu'une équipe de pétanque perd la partie sans marquer un seul point, l'usage veut qu'elle « baise Fanny » avec une certaine solennité.

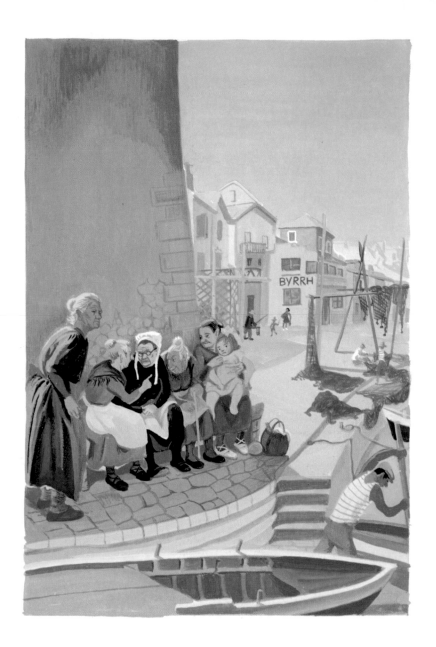

PRÉFACE

On va alors chercher au bar voisin, ou au cercle, un assez grand tableau — œuvre d'un amateur du pays — qui représente la partie la plus charnue d'une plantureuse créature. Alors les vaincus s'agenouillent, et baisent tour à tour, fort humblement, ces fesses rebondies.

Or, le mot Fanny, en Amérique, désigne précisément la même chose, et il est considéré comme un mot d'une très choquante grossièreté; c'est pourquoi, à la sortie du film à New York, un grand critique commença ainsi son article :

« Enfin, il est possible d'imprimer le mot Fanny dans un journal! »

Cet usage étrange d'un joli prénom nous serait-il venu d'Amérique? Je crois plutôt qu'il y fut importé, après la guerre de 1914, par quelques boys, qui avaient appris à jouer à la pétanque, et qui eurent sans doute à leurs débuts, l'occasion de « baiser Fanny ».

En terminant cette préface, il faut rapporter un mot remarquable de Berval.

Nous avions dîné ensemble au restaurant de Titin, lorsque vers dix heures un riche négociant marseillais entra, et vint nous saluer, puis il dit au comédien :

— Vous ne jouez donc pas dans « Fanny »?

— Oui, dit Berval. Mais j'entre en scène au début du dernier acte.

— Vous avez donc accepté de jouer une panne?

— J'entre en scène à onze heures, dit Berval, mais depuis neuf heures moins dix, Monsieur Harry Baur, Orane Demazis et Charpin parlent de moi... C'est le meilleur rôle de la pièce!

En effet, dès son entrée, le public l'applaudissait avant qu'il n'eût dit un mot.

Jeunes comédiens, méditez cette parole d'un ancien

FANNY

qui savait son métier, et quand vous serez en état de choisir, n'acceptez jamais un rôle sans entrées ni sorties, et qui n'est pas en situation.

FANNY

Représenté pour la première fois à Paris, le 5 décembre 1931, sur la scène du Théâtre de Paris, et a été jouée par les acteurs suivants :

PERSONNAGES

Mmes

FANNY	*Orane Demazis*
HONORINE	*Chabert*
CLAUDINE	*Milly Mathis*
LA COMMISE	*Thérésa Renouard*

MM.

CÉSAR	*Harry-Baur*
PANISSE	*Charpin*
MARIUS	*Berval*
ESCARTEFIGUE	*Dullac*
M. BRUN	*Vattier*
LE CHAUFFEUR	*Maupi*
LE FACTEUR	*H. Vilbert*
LE DOCTEUR	*E. Delmont*
MARIUS TARTARIN	*Meret*
RICHARD	*H. Henriot*
L'ANNAMITE	*Marc Derris*
L'ITALIEN	*Vanolli*

FANNY

Pièce en trois actes et quatre tableaux

ACTE PREMIER

PREMIER TABLEAU

Le décor représente le bar de César.
Il est deux heures de l'après-midi, au mois d'août. Au dehors, un soleil écrasant sur le port.
A gauche, au premier plan, M. Brun, Panisse et Escartefigue, sont assis. M. Brun boit un café crème. Panisse et Escartefigue boivent du vin blanc qu'ils versent dans un entonnoir rempli de glace.
Au comptoir, le chauffeur d'Escartefigue, déguisé en garçon de café, rince des verres.
César, debout, l'air sombre, les cheveux plus blancs qu'autrefois, se promène, sort et rentre. Il porte à la main une petite raquette en toile métallique, pour tuer les mouches. De temps à autre, il frappe brusquement sur le comptoir ou sur une table.

ACTE PREMIER

Scène I

CÉSAR, M. BRUN, PANISSE, ESCARTEFIGUE,
LE CHAUFFEUR.

PANISSE.

Moi, monsieur Brun, si j'étais Napoléon — pas Napoléon
Barbichette, je veux dire le vrai Napoléon, — si j'étais
Napoléon...

CÉSAR *(brusquement)*.

Il est mort.

PANISSE *(interloqué)*.

Oui, je sais. Mais je dis simplement : « Moi si j'étais
Napoléon...

CÉSAR *(avec force)*.

Il est mort. On te dit qu'il est mort !...

M. BRUN *(aimable)*.

Oui, nous savons qu'il est mort. Mais vous voulez dire :
« Si j'avais été Napoléon pendant que Napoléon vivait
encore... »

PANISSE *(ravi)*.

C'est ça; si j'avais été Napoléon pendant que Napoléon vivait encore... Eh bien! moi, j'aurais... *(Il cherche ce qu'il allait dire.)*

CÉSAR *(précis)*.

Qu'est-ce que tu aurais?...

PANISSE.

J'aurais... j'aurais... *(découragé.)* Ça y est... Tu m'as fait oublier ce que j'allais dire...

M. BRUN.

Quel dommage!

CÉSAR *(en sortant)*.

Gâteux! Simplement gâteux!

ESCARTEFIGUE *(à voix basse)*.

Ça y est! Tu as ton paquet. Ça recommence! Depuis un mois que son fils est parti, on ne sait plus par quel bout le prendre! Il n'est plus possible de venir dans ce bar sans se faire...

(César est entré, et il fait le tour de la salle.)

PANISSE *(à voix basse)*.

Attention! Le voilà!

M. BRUN *(à haute voix)*.

Alors capitaine, vous ne travaillez pas aujourd'hui?

PANISSE.

Nous sommes du jury. Nous attendons le président, M. Gadagne, qui va venir nous chercher.

ACTE PREMIER

CÉSAR *(avec pitié)*.

Du jury! On aura tout vu!

M. BRUN *(admiratif)*.

Du jury! Fichtre!

ESCARTEFIGUE *(modeste)*.

Eh! oui, fichtre!

M. BRUN.

Mais votre ferry-boat? Est-ce que vous ne devez pas faire vingt-quatre traversées par jour?

ESCARTEFIGUE.

Eh! oui, je dois les faire puisque je suis payé pour ça. Mais chaque année, au moment du concours, mon bateau a besoin de passer au radoub, pour rafraîchir la peinture sous-marine. Et ça dure quatre jours.

M. BRUN.

Exactement comme le concours!

ESCARTEFIGUE *(clin d'œil)*.

Étrange coïncidence! Exactement comme le concours. Et voilà pourquoi pendant ce temps, mon chauffeur fait des extras! *(Il montre le chauffeur au comptoir.)*

M. BRUN *(au chauffeur)*.

Tiens, petit, donne-moi encore un croissant.

LE CHAUFFEUR.

Voilà, Monsieur Brun.

(César s'approche.)

CÉSAR.

Félix, tu as l'heure juste?

41

FANNY

ESCARTEFIGUE.

Mais je crois que ta pendule va bien. Il est huit heures précises.

CÉSAR.

Si ma pendule marchait bien, je ne te demanderais pas l'heure qu'il est. Et si ça te fait peine de tirer ta montre, merci quand même !

ESCARTEFIGUE *(serviable)*.

Oh ! mais je la tire, la montre ! Je la tire ! Eh bien, il est huit heures précises, exactement comme ta pendule !

CÉSAR *(sèchement)*.

Merci !

ESCARTEFIGUE.

D'ailleurs, ce n'est pas étonnant : c'est sur ta pendule que je l'ai réglée ce matin.

CÉSAR *(les bras au ciel)*.

O bougre d'emplâtre ! Mais où vas-tu les chercher, dis jobastre !

ESCARTEFIGUE.

Jobastre ? Mais je ne vois pas pourquoi tu m'insultes quand je me donne un mal de chien pour te faire plaisir.

M. BRUN *(Il tire sa montre)*.

Tenez, César. Il est exactement huit heures quatre à l'horloge des docks.

CÉSAR.

Merci, monsieur Brun. Ça, c'est un renseignement. Huit heures quatre. J'aurais dû savoir qu'il ne faut rien

42

demander d'intelligent à M. Escartefigue, amiral de ban-
quettes de café, commodore de la moleskine !

(Il sort.)

Scène II

PANISSE, ESCARTEFIGUE, M. BRUN,
LE CHAUFFEUR

PANISSE *(avec bonne humeur)*.
Eh bien, dis donc, tu l'as toi aussi, ton paquet !

ESCARTEFIGUE.
Mais qu'est-ce qu'il a besoin de savoir l'heure astro-
nomique ? Est-ce qu'il veut faire le point ?

PANISSE.
Tu ne vois pas qu'il attend le facteur ?

M. BRUN.
Comme tous les matins !

LE CHAUFFEUR *(en grand secret)*.
Et comme tous les soirs. Il l'attend tout le temps.

ESCARTEFIGUE *(éclairé)*.
C'est donc ça ! Son fils lui envoie une lettre tous les
jours ! Et alors, peuchère, il se languit de l'avoir !

PANISSE.
Moi, je crois plutôt qu'il se languit d'avoir la première
et que son fils ne lui a pas encore écrit.

LE CHAUFFEUR *(confidentiel).*

Tout juste ! Et chaque fois que le facteur passe là-devant sans s'arrêter, c'est une scène de tragédie. Oui, monsieur Brun, de la tragédie. Il devient pâle comme la mort. Et quand il n'y a personne dans le bar, il vient regarder ce chapeau.

(Il montre un chapeau de paille accroché dans un coin.)

PANISSE.

Oui, le chapeau de Marius.

LE CHAUFFEUR.

Il est resté là depuis le départ. Il lui parle, il lui dit des choses que ça vous met les larmes aux yeux. C'est vrai que moi je suis beaucoup sensible...

PANISSE.

Peuchère ! Et la petite Fanny, c'est la même chose !

LE CHAUFFEUR.

Oh ! elle, elle va sûrement mourir d'estransi. Té, ils vont mourir tous les deux !

ESCARTEFIGUE *(indigné).*

C'est curieux tout de même que son fils ne lui ait pas encore écrit.

M. BRUN.

Mais non, capitaine, c'est tout à fait naturel. Il est parti sur un voilier, et leur première escale c'est Port-Saïd. Il est donc logique de penser que sa première lettre...

LE CHAUFFEUR.

Attention, le voilà...

ACTE PREMIER

(César fait le tour du bar, dans un grand silence, et sort de nouveau.)

M. BRUN.

Cet homme-là va peut-être mourir de chagrin.

PANISSE.

Écoutez, monsieur Brun, il ne mourra pas, non. Mais si cette lettre tarde encore quinze jours, il deviendra fada. *(à Escartefigue.)* Tu verras ce que je te dis.

ESCARTEFIGUE *(tristement).*

Oh! je le crois! il va de plus pire en plus pire. *(Scientifique.)* Moi, j'en ai connu un comme ça, que son cerveau se ramollissait... Ça se fondait tout, là-dedans... Et à la fin, quand il remuait la tête, pour dire « non », eh bien, on entendait « flic-flac... flic-flac ». Ça clapotait.

M. BRUN *(sceptique).*

Voilà un cas extrêmement curieux.

PANISSE *(sceptique).*

Oui, c'est bien curieux.

ESCARTEFIGUE.

Tu ne me crois pas?

PANISSE *(grave).*

Oh! que si, je te crois! Parce que moi j'en ai connu un encore plus bizarre; au lieu de se ramollir, comme le tien, eh bien le mien, son cerveau se desséchait.

ESCARTEFIGUE *(stupéfait).*

Par exemple!

FANNY

PANISSE *(lugubre)*.

Ce pauvre cerveau, petit à petit, il est devenu comme un pois chiche. Et alors, peuchère, quand il marchait dans la rue, ce petit cerveau lui sautait dans sa grande tête — et ça sonnait comme un grelot de bicyclette.

ESCARTEFIGUE *(horrifié)*.

Drelin ! Drelin !

PANISSE.

Surtout quand il marchait sur des pavés !...

(Escartefigue reste béant de stupeur et d'horreur. Mais M. Brun éclate de rire. Alors, Escartefigue un peu vexé, se tourne vers Panisse, qui rit lui aussi.)

ESCARTEFIGUE.

Tais-toi, va, fada. Tu vois bien que c'est incroyable, ton histoire !

PANISSE.

Elle est certainement aussi vraie que la tienne ?

ESCARTEFIGUE *(Il se lève, digne)*.

Honoré, si tu es un homme, dis-moi tout de suite, et devant tout le monde que tu me prends pour un menteur.

PANISSE *(calme et souriant)*.

Mais naturellement, que je te prends pour un menteur.

ESCARTEFIGUE.

Bien. Dans ce cas, c'est tout différent.

(Il se rassied, et allume un ninas. César, sur la porte, tourne le dos au public.)

ACTE PREMIER

Scène III

CÉSAR, HONORINE, PANISSE, ESCARTEFIGUE,
M. BRUN.

CÉSAR.

Bonjour, Norine.

HONORINE
(Elle entre, renfrognée, l'œil mauvais).
Bonjour.

CÉSAR.
Vous venez commencer la vente?

HONORINE *(sèchement).*
Comme vous voyez.

PANISSE.
Alors, la petite est encore fatiguée?

HONORINE.
Ah! ne m'en parlez pas, vé! Elle a une mine de papier
mâché. Alors, je suis venue faire l'ouverture, et elle
viendra me remplacer dans une heure. *(Au chauffeur, qui
lui fait passer ses paniers.)* Merci, petit.

ESCARTEFIGUE.
Fanny est malade?

CÉSAR.
Oui. Elle a pris un froid sur l'estomac.

47

FANNY

PANISSE.

Tu n'as donc pas remarqué qu'elle n'est pas venue hier, et que c'est Norine qui a vendu?

ESCARTEFIGUE.

Non, tiens. J'avais pas remarqué.

M. BRUN.

J'espère que ce n'est pas grave?

CÉSAR.

Mais non, mais non. C'est un peu de grippe. Une attaque de grippe...

HONORINE *(sarcastique).*

Oui, une attaque de grippe. Et puis, il faut dire aussi que à cause de certain petit voyou de navigateur, la petite a le cœur brisé, — elle a le cœur brisé, la petite. Elle a le cœur brisé, elle en mourra. — Et voilà le père de l'assassin! Assassin!

(César hausse les épaules tristement et sort. En scène, tandis qu'Honorine prépare les paniers de coquillages qu'elle va mettre à l'éventaire, Panisse, Escartefigue et M. Brun l'entourent pour la consoler à voix basse.)

PANISSE.

Mais non, Norine. Elle n'en mourra pas... Le temps arrange tout, vous savez...

ESCARTEFIGUE.

Et puis, il ne faut pas en vouloir à César, Norine. Il est encore plus malade que la petite. Nous le disions tout à l'heure encore: nous le voyons déjà parti du ciboulot!

HONORINE *(violente).*

Oh! ça, c'est sûr, et ça sera bien fait.

48

ACTE PREMIER

M. BRUN.

Mais non, mais non. Il ne faut rien dramatiser. Fanny est charmante, elle ne manque pas de prétendants... Elle finira par se consoler...

HONORINE.

Mais elle ne mange plus rien; elle est pâle comme une bougie.

PANISSE.

Et vaï, la jeunesse triomphe de tout !

M. BRUN.

Allez, on ne meurt pas d'amour, Norine. Quelquefois, on meurt de l'amour de l'autre, quand il achète un revolver — mais quand on ne voit pas les gens, on les oublie...

HONORINE
(en sortant, ses paniers dans les bras).

On ne les oublie pas toujours, monsieur Brun. J'en ai connu au moins deux qui sont mortes d'amour. Par pudeur, pardi, elles ont fait semblant de mourir de maladie, mais c'était d'amour ! *(Elle sort sur la terrasse, on la voit regarder vers la rue, et dire)* Déjà?

Scène IV

FANNY, CÉSAR, HONORINE, PANISSE, M. BRUN, ESCARTEFIGUE.

FANNY *(paraît).*

Je m'ennuyais à la maison. Bonjour, César.

FANNY

CÉSAR.

Bonjour, petite... Tu te sens mieux?

FANNY.

Mais oui, je me sens très bien... Bonjour, messieurs!

HONORINE.

Pourquoi tu n'es pas restée couchée une demi-heure de plus?

FANNY.

Mais parce que je me sens très bien, maman. C'est toi qui me crois malade, mais je n'ai rien du tout!

PANISSE.

A la bonne heure!

HONORINE *(grommelant)*.

Rien du tout! rien du tout!

M. BRUN.

Votre mère vous croyait déjà morte!

FANNY.

Oh! vous savez, maman exagère toujours! Les huîtres sont arrivées?

HONORINE.

Oui. Tu as ici les deux paniers de Bordeaux, et une caisse de moules de Toulon.

FANNY.

Bon.

HONORINE.

Alors, je peux aller à la Poissonnerie?

ACTE PREMIER

FANNY.

Mais bien sûr, voyons !

PANISSE.

Nous vous la gardons, Norine !

HONORINE.

Bon. Alors, j'y vais... Mais si la fièvre te reprend, tu fermes la baraque et tu rentres te coucher?

FANNY.

Oui, si la fièvre me reprend. Mais je te dis que c'est fini !

HONORINE.

Fini, fini... Enfin, ça va bien. *(Elle prend sa balance, et sort. Elle revient.)* Tu as bu le café au lait que je t'avais mis sur la table de nuit?

FANNY.

Mais oui !

HONORINE.

Bon, bon... Alors, je peux y aller?

ESCARTEFIGUE.

Mais oui, vous pouvez y aller. Vous ne l'abandonnez pas en pleine mer !

HONORINE.

Bon. Alors, j'y vais. J'y vais. A tout à l'heure.

(César s'approche de Fanny et caresse ses cheveux.)

FANNY

Scène V

CÉSAR, FANNY, PANISSE.

CÉSAR.

C'est vrai que tu te sens mieux?

FANNY.

Mais oui, c'est vrai. Vous ne le voyez pas?

CÉSAR.

Oui, tu es peut-être mieux, mais tu n'es pas encore bien brillante! Ah non!... Ah non!

FANNY.

Et vous, César, ça va bien?

CÉSAR *(avec force)*.

Ça va très bien. Ça va le mieux du monde. J'ai dormi comme un prince. Comme un prince! ·

PANISSE *(bas)*.

Peuchère! Il en a tout l'air.

(A ce moment, un gros homme s'approche de l'éventaire de Fanny. Il est vêtu du costume classique de Marius: guêtres de cuir, casque colonial. Il est ventru et porte la barbe à deux pointes. Il parle avec un extraordinaire accent de Marseille.)

ACTE PREMIER

Scène VI

LE GROS HOMME, FANNY.

LE GROS HOMME.

Hé biengue, mademoiselle Fanylle, est-ce que votre mère n'est pas ici?

FANNY.

Non, monsieur. Elle vient de partir à la poissonnerie.

LE GROS HOMME.

A la poissonnerille? O bagasse tron de l'air! Tron de l'air de bagasse! Vous seriez bien aimable de lui dire qu'elle n'oublille pas ma bouillabaisse de chaque jour, ni mes coquillages, bagasse! Moi, c'est mon régime: le matin, des coquillages. A midi, la bouillabaisse. Le soir, l'aïoli. N'oubliez pas, mademoiselle Fanylle!

FANNY.

Je n'oublierai pas de le lui dire. Mais à qui faut-il l'envoyer?

LE GROS HOMME.

A moi-même: M. Mariusse, 6, rue Cannebière, chez M. Olive.

FANNY.

Bon.

LE GROS HOMME.

Et n'oubliez pas, o bagasse! Tron de l'air de mille bagasse! O bagasse!

(Il sort. Tous se regardent, ahuris.)

FANNY

Scène VII

ESCARTEFIGUE, CÉSAR, FANNY, PANISSE, M. BRUN.

ESCARTEFIGUE.

Mais qu'est-ce que c'est que ce fada?

CÉSAR.

C'est un Parisien, peuchère. Je crois qu'il veut se présenter aux élections.

ESCARTEFIGUE.

Mais pourquoi il dit ce mot extraordinaire : bagasse?

FANNY.

Il le répète tout le temps.

PANISSE.

Tu sais ce que ça veut dire, toi?

FANNY.

Je ne sais pas, moi, je suis jamais allée à Paris. Nous aussi nous avons des mots qu'un Parisien ne comprendrait pas.

CÉSAR.

Bagasse? Pour moi, c'est le seul mot d'anglais qu'il connaisse, alors, il le dit tout le temps pour étonner le monde.

M. BRUN.

Eh bien, c'est bizarre, mais je le croyais Marseillais.

ACTE PREMIER

CÉSAR.

Marseillais?

PANISSE.

Oh! dites, vous êtes pas fada?

M. BRUN.

Dans le monde entier, mon cher Panisse, tout le monde croit que les Marseillais ont le casque et la barbe à deux pointes, comme Tartarin et qu'ils se nourrissent de bouillabaisse et d'aïoli, en disant « bagasse » toute la journée.

CÉSAR *(brusquement)*.

Eh bien, monsieur Brun, à Marseille, on ne dit jamais bagasse, on ne porte pas la barbe à deux pointes, on ne mange pas très souvent d'aïoli et on laisse les casques pour les explorateurs — et on fait le tunnel du Rove, et on construit vingt kilomètres de quai, pour nourrir toute l'Europe avec la force de l'Afrique. Et en plus, monsieur Brun, en plus, on emmerde tout l'univers. L'univers tout entier, monsieur Brun. De haut en bas, de long en large, à pied, à cheval, en voiture, en bateau et vice versa. Salutations. Vous avez bien le bonjour, Gnafron.

(Il sort.)

Scène VIII

M. BRUN, PANISSE, ESCARTEFIGUE.

M. BRUN.

C'est pour moi, tout l'univers?

FANNY

PANISSE.

Ce n'est pas spécialement pour vous — mais tout de même, vous en faites partie.

M. BRUN.

Et Gnafron, c'est dur.

ESCARTEFIGUE.

On ne peut plus venir dans ce café sans se faire insulter.

PANISSE.

Tu vois bien que c'est un homme qui souffre. Va, sûrement, le chauffeur a raison, son fils ne lui a pas écrit.

M. BRUN.

Et ce qui lui fait le plus de mal, c'est qu'il ne veut pas l'avouer à personne : voilà le pire.

PANISSE.

Naturellement. Il se garde tout son chagrin sur l'estomac, alors, ça fermente, ça se gonfle, et ça l'étouffe.

ESCARTEFIGUE *(sentencieux)*.

Au fond, voyez-vous, le chagrin, c'est comme le ver solitaire : le tout, c'est de le faire sortir.

PANISSE.

Tu as raison, Félix. Mais nous, nous n'allons pas le laisser mourir sur place parce qu'il ne veut pas parler. Il faut le sauver.

ESCARTEFIGUE.

Et comment tu veux faire ? Tu ne peux pas lui rendre son fils ?

ACTE PREMIER

PANISSE.

Non. Mais il faut provoquer ses confidences. Habilement, comme tu penses. Moi, je suis sûr que s'il nous en parle, ça le soulagera, ça lui dégagera le cerveau.

M. BRUN.

Fort bien raisonné.

ESCARTEFIGUE.

En somme, tu veux lui ouvrir la soupape pour lâcher un peu de vapeur et diminuer la pression?

PANISSE.

C'est ça.

M. BRUN.

Ce ne sera pas facile, mais on peut toujours essayer.

ESCARTEFIGUE.

Après tout, il ne nous mangera pas.

PANISSE.

Non, mais peut-être il va nous lancer le siphon à la figure.

M. BRUN.

Non, moi, je ne crois pas. Il va tout simplement gueuler.

ESCARTEFIGUE.

Oh! ça, cocagne!

PANISSE.

Monsieur Brun, vous ne le connaissez pas. Il est violent, vous savez...

ESCARTEFIGUE.

Oui, quand il s'y met, c'est terrible.

PANISSE.

Écoute, Félix, la situation est grave. Dans huit jours, ça sera trop tard.

ESCARTEFIGUE.

Honoré, tu as raison. Il va gueuler, il va faire un scandale, il va peut-être tout casser, mais tant pis. Hésiter une seconde, ça serait une lâcheté. Nous devons le faire, nous allons le faire. Vas-y, Honoré.

PANISSE.

Moi?

M. BRUN.

Pourquoi pas?

PANISSE.

Bon, j'y vais. Tu me soutiendras?

ESCARTEFIGUE *(stratégique)*.

Compte sur moi — je suis la deuxième escadre sous-marine. Je te suis... de loin, et pendant qu'il répond à ta bordée, moi, je plonge... et pan! je le torpille!...

PANISSE.

Alors, on y va... Qué, monsieur Brun?

M. BRUN.

Ne craignez rien, j'interviendrai.

PANISSE.

Allons-y.

ACTE PREMIER

ESCARTEFIGUE.

Fais-y l'attaque.

(Panisse tousse, affermit sa voix, se lève et se dirige vers César.)

Scène IX

PANISSE, CÉSAR, M. BRUN, ESCARTEFIGUE, L'ANNAMITE.

PANISSE.

César, tu attends quelqu'un?

CÉSAR *(brusquement)*.

Moi? Pourquoi veux-tu que j'attende quelqu'un?

PANISSE.

Je ne sais pas, moi. Depuis une heure, tu es là à t'agiter, à regarder la pendule...

CÉSAR.

Moi? J'ai regardé la pendule?

PANISSE.

Eh bien! il m'a semblé que tout à l'heure...

CÉSAR *(doucement)*.

Monsieur Panisse, pourquoi m'espionnes-tu? Par qui es-tu payé? A quoi ça te sert?

PANISSE.

Monsieur César, je ne t'espionne pas.

CÉSAR.

Pourquoi viens-tu avec des yeux luisants de policier me demander si j'attends quelqu'un?

PANISSE.

Mais, César, dans le fond, que tu attendes quelqu'un, ou que tu n'attendes personne, j'ai l'honneur de vous informer que je m'en fous complètement.

CÉSAR.

Je ne te demande rien d'autre.

PANISSE.

Eh bien! tu es servi.

CÉSAR.

Je pourrais, à la rigueur, te prier de ne pas employer, quand tu me parles, des mots aussi grossiers que « je m'en fous ». Mais enfin, comme ta délicatesse naturelle n'est pas assez grande pour te faire sentir les nuances, passons là-dessus. Passons.

(Il sort sur la terrasse.)

PANISSE *(à Escartefigue).*

Et la torpille?

ESCARTEFIGUE.

Attends, attends. Toi, tu t'es échoué du premier coup. Mais moi, je vais y aller de face.

PANISSE.

Ça m'étonnerait

M. BRUN.

Moi aussi.

ACTE PREMIER

ESCARTEFIGUE.

Bon. Regardez et écoutez... Soutiens-moi. Pan, je le torpille ! César !... *(César se retourne.)* Dis donc, César, moi j'ai comme l'impression que tu attends le facteur ?

CÉSAR *(glacé)*.

Moi, j'attends le facteur ? Et pourquoi j'attendrais le facteur ?

ESCARTEFIGUE *(avenant et souriant)*.

Je ne sais pas, moi... Peut-être pour voir s'il ne t'apporte pas une lettre de ton fils ? Pas vrai, Panisse ?

CÉSAR.

Halte-là, Félix ! Je te défends de te mêler de mes affaires de famille.

ESCARTEFIGUE.

Tu sais, je n'ai pas voulu...

CÉSAR.

Moi, par exemple, je ne te demande pas si c'est vrai que ta femme te trompe avec le président des Peseurs-Jurés, n'est-ce pas ? Est-ce que je te le demande ?

ESCARTEFIGUE.

Tu ne me le demandes pas, mais tu me l'apprends ! O coquin de sort !

(Il tombe sur une chaise.)

PANISSE.

O Félix ! la torpille t'a pété dans la main ! Pan !... Mais non, ce n'est pas vrai, Félix !

ESCARTEFIGUE *(inquiet)*.

Vous l'avez entendu dire, monsieur Brun?

M. BRUN.

Mais jamais de la vie! Et je suis bien sûr que ce n'est pas vrai!

CÉSAR *(doucement)*.

Que ça soit vrai ou pas vrai, ça ne nous regarde pas. C'est une affaire personnelle entre M. Escartefigue, capitaine du feriboite et Mme Fortunette Escartefigue, son épouse, et aussi, M. le président des Peseurs-Jurés, celui qui a la belle barbe rousse. Moi, je ne veux rien en savoir.

ESCARTEFIGUE.

Coquin de sort!

CÉSAR.

Eh bien! toi, Félix, imite ma discrétion. Pas de questions sur Marius. *(à Panisse.)* Et toi, beau masque, prends-en de la graine.

PANISSE.

Moi, je ne t'ai rien demandé.

M. BRUN.

Ni moi non plus.

CÉSAR.

Vous ne me demandez rien, mais vous avez une façon de dire: «Je ne t'ai rien demandé» qui signifie: «Nous voulons absolument savoir.» Et vous essayez de me forcer à vous faire des confidences!

M. BRUN.

Oh! mais pas du tout, César!

ACTE PREMIER

CÉSAR.

Il y a longtemps que ça dure, c'est une véritable conspiration ! Vous voulez tout savoir ? Vous ne saurez rien.

PANISSE.

Je t'assure que, pour moi, je ne veux rien savoir du tout.

CÉSAR.

Tu ne veux rien savoir du tout ?

PANISSE.

Je ne veux pas me mêler de tes affaires de famille.

CÉSAR.

C'est-à-dire qu'après une amitié de trente ans, tu te fous complètement de tout ce qui peut m'arriver ?

PANISSE.

Mais non, César... Mais non...

CÉSAR.

Mais oui, Honoré, mais oui ! Ce sont les propres mots que tu as dits tout à l'heure. Tu as dit : « Je m'en fous complètement. »

PANISSE.

Mais j'ai dit ça pour te faire plaisir ! Si tu ne veux rien nous dire, ne dis rien, et si tu veux nous dire quelque chose, eh bien, parle !

CÉSAR *(triomphant)*.

Et voilà ! « Eh bien, parle ! » Je savais bien que vous finiriez par me questionner, j'en étais sûr ! Eh bien ! puisqu'on me force à parler, je vais te répondre.

PANISSE.

Non, César, non. On ne te force pas.

CÉSAR.

Mais si, mais si. On me force.

M. BRUN.

Mais dans le fond...

CÉSAR.

Ah ! non ! Taisez-vous, maintenant. Puisqu'on me *force*
à parler, au moins qu'on me laisse la parole !

ESCARTEFIGUE.

C'est ça, parle, César. Parle.

CÉSAR.

Bon. Donc, je vois dans vos yeux et dans ceux de tout
le monde — même dans les yeux des passants — que vous
avez pitié de moi. Je sais très bien ce que vous devez dire
quand je ne suis pas là. Vous dites : « Il doit pleurer, la
nuit, tout seul, dans cette grande maison vide... il ne
s'occupe plus du bar, il attend des nouvelles de son fils,
qui ne lui écrit jamais, et ça brise le cœur de cet homme. »
Eh bien ! puisque vous pensez des choses pareilles, puisque
vous attachez de l'importance à une histoire qui n'en a
pas, et à laquelle je ne pense jamais, il faut que je m'explique une fois pour toutes.

M. BRUN.

C'est ça, expliquez-vous. Ça mettra tout au point.

CÉSAR (*à Escartefigue*).

Tout à l'heure, tu m'as demandé si j'attendais le facteur !
Eh bien, non, je n'attends pas le facteur. D'abord, quand
un garçon a eu le courage d'abandonner son vieux père,

et de ne pas lui écrire une seule fois depuis cinquante-neuf jours – il n'y a guère d'espoir qu'il lui écrive le soixantième.

PANISSE.

D'abord, il ne pouvait pas t'écrire avant sa première escale, et sa première escale, c'est Port-Saïd.

CÉSAR.

Eh bien? D'après les journaux, *la Malaisie* a touché Port-Saïd, le 7 août. Il y a douze jours.

ESCARTEFIGUE.

Pour que la lettre te revienne, il faut presque deux semaines.

CÉSAR.

Allons donc! Il y a un courrier qui fait le voyage en neuf jours!

M. BRUN.

Mais il ne le fait pas tous les jours!

(un temps.)

CÉSAR *(qui change de visage).*
Ah? Vous croyez?

M. BRUN.

Mais naturellement, j'en suis sûr!

CÉSAR.

Et puis, d'ailleurs, pourquoi perdre son temps à parler de ces choses? Ça ne m'intéresse absolument pas!

FANNY

(Entre un petit bonhomme d'Annamite vêtu à la mode de son pays. Il est chargé de fleurs en papier, de poupées en papier, de moulinets en papier de couleur piqués autour de son chapeau. Il va vers le comptoir. César passe derrière pour le servir.)

L'ANNAMITE.

Café, bon café, Chaud! chaud!

(César prend la « verse », après avoir jeté une tasse et du sucre sur le comptoir. Il va remplir la tasse lorsque Panisse parle.)

PANISSE.

Allons, César, ça ne t'intéresse absolument pas?

(Il fait mine de remplir la tasse. L'Annamite attend d'un air impatient et ravi.)

CÉSAR.

Absolument pas.

ESCARTEFIGUE.

Allez, vaï!

CÉSAR.

Comment « allez vaï »? Pourquoi dis-tu « allez, vaï »? *(Il dépose la « verse ».)* Ah! vous me croyez faible? Vous me prenez pour un molasson! *(Il reprend la verse.)* Vous croyez qu'on peut me tromper, me bafouer, m'abandonner? Je vous ferai voir qui je suis! *(Il verse un gros jet de café bouillant sur le pied nu de l'Annamite, qui bondit en arrière et gazouille d'incompréhensibles injures. César le regarde avec fureur.)* Tu n'es pas content, dis jaunâtre? *(L'Annamite invoque les dieux et profère des malédictions véhémentes.)* Allez, ouste! Fous-moi le camp! *(Il a saisi*

66

ACTE PREMIER

une matraque. L'Annamite s'enfuit, entouré du tourbillon de ses moulinets de papier.)

PANISSE.

Alors, César, ça ne t'intéresse absolument pas ?

ESCARTEFIGUE.

Allez ! vaï !

CÉSAR.

Tenez, une supposition que ce garçon ait eu l'idée d'écrire tous les jours une petite lettre à son père, un petit mot, pour dire : « Je me porte bien, je pense à toi, je me figure ton chagrin... etc... » Une supposition que chaque soir il ait mis sa petite lettre de côté, et que la semaine dernière, en arrivant à Port-Saïd, il les ait toutes mises à la poste d'un seul coup : enfin, une supposition que le facteur se présente à l'instant dans ce bar et qu'il dise : « Voilà pour vous, monsieur César ? » Et qu'il me donne un paquet de lettres de trois kilos — de quoi lire toute la nuit, en les lisant trois fois chacune — eh bien, je prendrais le paquet, et je le foutrais sous le comptoir, et je ne l'ouvrirais même pas, parce que ça ne m'intéresse pas !

ESCARTEFIGUE.

Allez, vaï !

PANISSE.

Allez, vaï ! Tu ne nous feras pas croire que tu n'aimais pas ton fils !

CÉSAR.

Je ne dis pas ça, au contraire. C'est vrai, je l'aimais beaucoup, cet enfant. Mais après ce qu'il m'a fait, c'est fini.

FANNY

M. BRUN *(nettement)*.

Mais en somme, qu'est-ce qu'il vous a fait?

PANISSE.

Oui, en somme?

ESCARTEFIGUE.

En somme?

CÉSAR
(au comble de la stupeur et de l'indignation).

En somme! En somme! O coquin de pas Dieu! En somme!!!

M. BRUN *(doucement)*.

Mais oui, en somme, que vous a-t-il fait?

CÉSAR *(rugissant)*.

Il m'a fait qu'il est parti!

M. BRUN.

Eh bien! A vingt ans ce garçon n'avait pas le droit de partir?

CÉSAR.

Il n'avait pas le droit de partir sans me le dire.

ESCARTEFIGUE.

Ça, c'est vrai. Ce qu'il a fait là, ce n'est guère poli.

PANISSE.

Mais s'il te l'avait dit, qu'est-ce que tu aurais fait?

CÉSAR.

Je lui aurais expliqué qu'il n'avait pas le droit.

ACTE PREMIER

PANISSE.

Et même, au besoin, tu le lui aurais expliqué à grands coups de pied au cul?

CÉSAR.

Naturellement. Je te garantis bien qu'en moins d'un quart d'heure, je lui aurais fait passer le goût de la marine!

M. BRUN.

Vous voyez donc qu'il a *bien fait* de ne rien vous dire.

CÉSAR *(Il rugit)*.

Il a bien fait! C'est ça, vous approuvez le révolté, vous félicitez l'ingrat! Encore un bolchevick, qui veut détruire la famille! Et il faut entendre dire ça dans mon bar! C'est inouï!

M. BRUN.

Mais enfin, César, après tout, si cet homme veut naviguer?

CÉSAR *(sincère)*.

Cet homme? Quel homme?

M. BRUN.

Marius est un homme.

CÉSAR *(éclatant de rire)*.

Un homme! Un homme! Marius!!!

M. BRUN.

Il a vingt-trois ans. A cet âge, vous étiez déjà marié?

CÉSAR.

Moi, oui.

M. BRUN.

Vous étiez un homme?

CÉSAR.

Moi, oui.

M. BRUN.

Alors, ce qui était vrai pour vous, n'est pas vrai pour lui?

CÉSAR *(avec force)*.

Non.

M. BRUN.

Et pourquoi?

CÉSAR.

Pour moi, j'ai toujours raisonné différemment, parce que moi, je n'étais pas mon fils.

M. BRUN.

Eh bien, César, permettez-moi de vous dire, avec tout le respect que je vous dois, que vous êtes un grand égoïste.

PANISSE.

En voilà un qui ne te l'envoie pas dire.

ESCARTEFIGUE.

Et il parle bien, sas!

M. BRUN.

Si cet homme veut naviguer, vous n'avez pas le droit de l'en empêcher!

CÉSAR.

Mais s'il veut naviguer, qu'il navigue, bon Dieu! Qu'il navigue où il voudra, mais pas sur l'eau!

ACTE PREMIER

ESCARTEFIGUE *(ahuri).*

Mais alors, où veux-tu qu'il navigue ?

CÉSAR.

Je veux dire : pas sur la mer. Qu'il navigue comme toi,
tiens ! sur le vieux port. Ou sur les rivières, ou sur les
étangs, ou... et puis nulle part, sacré nom de Dieu ! Est-ce
qu'on a besoin de naviguer pour vivre ? Est-ce que
M. Panisse navigue ? Non, pas si bête ! Il fait les voiles,
lui ! Il fait les voiles, pour que le vent emporte les enfants
des autres !

*(Le facteur paraît sur la porte. Il tend à César une lettre
épaisse et un journal. Fanny qui l'a suivi des yeux, fait un
pas vers lui.)*

Scène X

LE FACTEUR, FANNY, PANISSE, ESCARTEFIGUE.

LE FACTEUR.

Monsieur César, voilà pour vous !

(César prend la lettre et le journal et ne bouge plus.)

FANNY *(au facteur).*

Vous n'avez rien pour moi ? Fanny Cabanis ?

LE FACTEUR.

Oh ! mais je vous connais, mademoiselle ! Non, je n'ai
rien pour vous.

71

FANNY

FANNY.

Vous m'avez peut-être laissé une lettre chez moi, au 39, quai du Port?

LE FACTEUR.

Ah! si! J'ai laissé un prospectus des *Nouvelles Galeries.*

FANNY.

Rien d'autre?

LE FACTEUR.

Rien d'autre pour aujourd'hui. Ce n'est pas ma faute, vous savez... Moi, je les porte, les lettres. Mais ce n'est pas moi qui les écris!

(Il sort une lettre de sa boîte et s'adresse à toutes les personnes présentes.)

LE FACTEUR.

Est-ce que quelqu'un connaît señor Miraflor y Gonzalès y Cordoba, 41, quai du Port?

PANISSE.

C'est Tripette, le tondeur de chiens.

LE FACTEUR.

Tripette s'appelle comme ça?

PANISSE.

A ce qu'il paraît.

LE FACTEUR.

Et il habite au 41?

ESCARTEFIGUE.

Non, peuchère! Il habite nulle part. Mais comme il est

toujours assis sur la porte du 41, il donne cette adresse, té, pour de dire d'en avoir une.

LE FACTEUR.

Ah? C'est Tripette? Merci. *(Il sort.)* O Tripette! O Tripette! O Tripette!

(César pose la lettre sur le comptoir, d'un geste décidé. Il garde le journal, et va s'asseoir sur la banquette pour le lire. Fanny va lentement au comptoir, regarde la lettre et pâlit.)

Scène XI

FANNY, CÉSAR, PANISSE, ESCARTEFIGUE, M. BRUN.

FANNY.

Une lettre de Port-Saïd!... César, elle est lourde...

(César sourcille du coin de l'œil.)

CÉSAR.

Et après?

FANNY.

César, c'est de lui, c'est de Marius. C'est écrit derrière...

CÉSAR.

Et après?

FANNY.

César, lisez-la... Vite, lisez-la.

FANNY

CÉSAR.

Laisse ça, je te prie.

FANNY.

Lisez-la.

CÉSAR.

Je préfère mieux lire mon journal. Le Journal des Limonadiers.

PANISSE *(avec douceur)*.

Allons, César.

CÉSAR.

Quoi, allons César?

PANISSE.

Si tu veux lire cette lettre, nous te chinerons pas.

ESCARTEFIGUE *(bon enfant)*.

On sait bien que ce que tu as dit, c'était pour parler.

PANISSE.

César, je me mets très bien à ta place : tu as envie de lire cette lettre, et tu luttes contre cette envie à cause de nous, parce que nous sommes là; permets à ton vieil ami de te dire que c'est de l'amour-propre mal placé.

CÉSAR.

Quoi?

ESCARTEFIGUE.

Je te dirai, César — et pourtant, il faut du courage — mais je te dirai... puisque c'est mon devoir, je te dirai... exactement comme Panisse, qui l'a dit le premier : c'est de l'amour-propre mal placé.

ACTE PREMIER

CÉSAR.

Les observations d'un ancien cocu et d'un cocu de l'active n'ont sur moi aucune influence.

PANISSE *(vexé)*.

A qui fait-il allusion?

ESCARTEFIGUE *(perplexe)*.

Je me le demande.

CÉSAR *(Il lit son journal)*.

Le Journal des Limonadiers. Té, on nous augmente le Picon. Seize sous par bouteille. Naturellement. *(Il calcule.)* Dans une bouteille, il y a seize verres. Ça va faire, pour les clients, quatre sous par verre. Et l'anisette, même romance. Enfin, tant pis. Que faire? Nous sommes bien forcés d'accepter. N'est-ce pas? Tiens, il y aura le Congrès des Limonadiers au mois de février, à Toulon. Ça, je ne le manquerai pas.

PANISSE.

Allons, César!

CÉSAR.

Quoi, allons César! Parfaitement, j'irai au Congrès des Limonadiers? Ce n'est pas toi qui vas m'en empêcher, peut-être?

PANISSE.

Non certainement. Mais enfin, tu as là des nouvelles de ton fils, et tu devrais bien...

FANNY *(doucement suppliante)*.

César, ouvrez la lettre.

PANISSE.

Pour faire plaisir à la petite!

FANNY

CÉSAR *(à Fanny).*

Ça t'intéresse donc tant que ça, d'avoir des nouvelles de ce navigateur dénaturé? Moi, non.

M. BRUN *(Il prend la lettre).*

Voyons, César? Si vous ne l'ouvrez pas, je vais l'ouvrir!

CÉSAR.

Oh! nom de Dieu! Vous allez tous m'empoisonner avec cette lettre! Eh bien, té, moi, je m'en vais la mettre à l'abri.

(Il prend la lettre que lui tend M. Brun et s'enfuit dans la cuisine. Fanny veut le suivre, mais on l'entend fermer la porte à clef.)

M. BRUN.

Il va la lire dans la cuisine!

PANISSE.

Oh! ça, certainement.

M. BRUN.

Et nous, vous ne savez pas ce que nous devrions faire, maintenant?

ESCARTEFIGUE.

Non?

M. BRUN.

Eh bien, nous devrions nous en aller, discrètement, pour ne pas gêner sa rentrée.

PANISSE.

Bonne idée.

ACTE PREMIER

M. BRUN.

Nous sommes d'accord?

ESCARTEFIGUE *(Il s'assoit).*

Oui, nous sommes d'accord!

M. BRUN *(sarcastique).*

Nous sommes d'accord, mais vous vous asseyez! Vous voulez tout voir. Eh bien, monsieur Escartefigue, j'ai entendu dans ce bar assez de calomnies contre les Lyonnais pour avoir le droit de formuler ceci : à Lyon, on sait ce que c'est que la pudeur et la discrétion. Au revoir, messieurs.

(Il sort.)

Scène XII

ESCARTEFIGUE, PANISSE.

ESCARTEFIGUE *(stupéfait).*

Qué pudeur? Pudeur?...

PANISSE.

Dis donc, Félix, tu devrais aller voir si Cadagne est réveillé.

ESCARTEFIGUE.

Tu crois qu'il faut que j'y aille?

PANISSE.

Les premières parties commencent à neuf heures. Quand on est du Jury, il faut avoir la politesse des rois. Va chercher Cadagne, va.

FANNY

ESCARTEFIGUE *(tristement)*.

Alors, j'y vais. J'y vais.

PANISSE.

Ce n'est pas tellement loin, il y a quarante mètres.

ESCARTEFIGUE.

Il y a quarante mètres en passant par là-devant. Mais en passant par la place de Lenche, il y a au moins deux cents mètres.

PANISSE.

Et pourquoi tu irais faire le tour?

ESCARTEFIGUE.

Eh! couillon, en faisant le grand tour, je reste à l'ombre.

(Il sort.)

Scène XIII

PANISSE, FANNY, ESCARTEFIGUE.

PANISSE.

Fanny! *(Elle s'approche de lui, elle sourit, toute pâle).* Ne tremble pas comme ça! Il y a sûrement beaucoup de choses pour toi, dans cette lettre.

FANNY.

Oh! non, Panisse... Je ne crois pas...

PANISSE *(avec douceur)*.

Tu ne le crois pas, mais tu l'espères. C'est bête l'amour, tout de même.

ACTE PREMIER

FANNY.

Ce n'est pas bête, mais c'est mauvais.

PANISSE.

Je sais bien que c'est surtout de l'imagination, mais ça peut faire souffrir quand même... Tu es bien pâlotte, Fanny... Tu devrais bien voir le docteur.

FANNY.

Bah! Pourquoi?

PANISSE.

Mais parce qu'un docteur te renseignera. Il te dira si tu n'as pas de l'anémie, il te marquera des choses pour te donner de l'appétit, *exétéra*...

FANNY.

Vous connaissez ma mère. Si je parle d'aller au docteur, elle me croira perdue.

PANISSE.

Eh bien, qui t'empêche d'y aller toute seule? Va chez le Dr Venelle. Il habite dans ma maison, c'est un bon papa... Vas-y une après-midi... Si tu veux, je te donnerai les sous...

FANNY.

Oh! non, merci. J'en ai...

(Paraît Escartefigue.)

ESCARTEFIGUE.

Il est réveillé. Il est même tout prêt à partir.

PANISSE.

Il n'est pas saoul, au moins?

79

ESCARTEFIGUE.

Oh! non! Il s'est mis le col et la redingote, et il s'est ciré les souliers que je te dis que ça... Il nous attend.

PANISSE.

Alors, on y va. *(Il se lève.)* Ne sois pas inquiète pour la lettre, Fanny. Aie patience quelques minutes. Dans un quart d'heure, il va te la lire et avant ce soir il va la réciter à tout Marseille.

ESCARTEFIGUE.

Allez, Honoré, tu viens?

(Panisse sort.)

Scène XIV

CÉSAR, L'ITALIEN, FANNY, HIPPOLITRE.

(A ce moment, la porte de la cuisine s'ouvre et César paraît, illuminé. Il tient la lettre à la main.)

CÉSAR.

Fanny! Il est bien! Il se porte bien! Viens ici, viens. Assieds-toi là. Tu vas me relire ia lettre, bien comme il faut. Tiens.

(Il lui donne la lettre. Il va s'asseoir pour écouter la lecture. A ce moment, paraît sur le seuil un client. C'est un Italien. César va vers lui.)

CÉSAR.

Non, non. On n'entre pas... On ne sert pas...

ACTE PREMIER

L'ITALIEN.
Perché?

CÉSAR *(Il montre les bouteilles)*.
Mauvais! Les bouteilles empoisonnées!

L'ITALIEN.
Ma qué? Ma qué?

CÉSAR.
Empoisonnato! La colica frénética et la morte! Allez chez Mostégui, au coin. Excellentissimo! Graziossimo, minestrone!

L'ITALIEN.
Esta pa un poco mato?

CÉSAR.
Si, si. Completemente fada! absoloutamente! *(L'Italien hausse les épaules et s'en va.) (Au chauffeur.)* Frise-poulet! Sers tout ce qu'on voudra sur la terrasse, mais ne laisse entrer personne!

(César va s'installer sur la banquette. Fanny s'assied en face de lui, et elle commence la lecture à mi-voix.)

FANNY *(Elle lit)*.
« *Mon cher Papa, pardonne-moi mon cher papa, la peine que j'ai pu te faire : je sais bien comme tu dois être triste depuis que je suis parti, et je pense à toi tous les soirs...* »

CÉSAR
(Il parle au chapeau de paille).
Bon. Il pense à moi tous les soirs, mais moi, grand imbécile, je pense à toi toute la journée! Enfin, continue.

FANNY

FANNY.

« Pour dire de t'expliquer toute la chose et de quelle façon j'avais cette envie, je ne saurais pas te l'écrire. Mais tu n'as qu'à demander à Fanny : elle a connu toute ma folie. »

CÉSAR *(Il parle au chapeau).*

Folie, c'est le mot. Ça me fait plaisir de voir que tu te rends compte !

FANNY.

« Maintenant, laisse moi te raconter ma vie... Quand je suis parti, on m'avait mis aide-cuisinier. »

CÉSAR.

Aide-cuisinier ! Ils ont dû bien manger sur ce bateau ! Au bout d'un mois il n'y aura plus que des squelettes à bord. Ça va être le bateau-fantôme.

FANNY.

« Mais au bout de quelques jours, ils m'ont remplacé par un autre homme de l'équipage qui s'était blessé à la jambe en tombant dans la cale, et moi, j'ai pris sa place sur le pont. »

CÉSAR.

Bon. Maintenant, attention, ça va devenir terrible !

FANNY.

« Je ne t'ai pas écrit plus tôt parce que en arrivant à Port-Saïd, nous avons eu de gros ennuis. Comme un matelot du bord était mort d'une sale maladie, les autorités ont cru que peut-être c'était la peste, et on nous a mis en quarantaine. »

CÉSAR *(exorbité).*

La Peste ! Tu entends, la peste ! Coquin de sort ! La peste sur son bateau ! Et dire que quand un de ses camarades de l'école communale attrapait les oreillons, je gardais M. Marius à la maison pendant un mois, pour le préserver ! Et maintenant il s'en va nager dans la peste ! De la peste jusqu'au cou !

FANNY.

Mais il ne l'a pas eue, lui, puisqu'il vous écrit.

CÉSAR.

Il ne l'a pas eue, mais il a bien failli l'avoir ! Et puis ça n'empêche pas que c'est une maladie terrible. La peste, le cou gonflé, la bouche ouverte, la langue comme une langue de bœuf ! Et le corps couvert de pustules et l'estomac en pourriture et le nombril tout gonflé et noir comme un oursin ! Ah ! coquin de sort ! Ah ! Marius ! tu n'as pas fini de nous faire faire du mauvais sang ! Va, continue !

FANNY.

« Mais les docteurs du Port ont tout démantibulé le pauvre mort pour voir ce qu'il avait, et ils ont dit que ce n'était pas la peste. »

CÉSAR.

Tant mieux !

FANNY.

« Maintenant, nous voilà délivrés, et nous allons repartir pour Aden. Ce voyage est merveilleux; si je voulais te raconter tout ce que je vois, je n'en finirais pas de te le raconter. Mais malheureusement, on ne s'est pas arrêté en route, ce qui est bien regrettable, surtout que nous sommes passés au large de plusieurs îles, où se trouve la célèbre ville grecque d'Athènes, qui était autrefois la grande forteresse des Romains. »

CÉSAR (fier).

Ça se voit qu'il est avec des savants.

FANNY

FANNY.

« *Enfin, tout va très bien, et ma nouvelle vie me plaît beaucoup. Je suis maintenant au service des appareils océanographiques.* »

CÉSAR.

Ah! celui-là, je n'avais pas pu le lire!

FANNY.

« *Nous allons nous en servir bientôt pour mesurer les fonds de l'Océan Indien.* »

CÉSAR *(ravi).*

Tu t'imagines ce petit qui faisait semblant de ne pas savoir mesurer un picon-grenadine et qui va mesurer le fond de la mer! Qu'est-ce que je dis, la mer? L'Océan! Le fond de l'Océan.

FANNY.

« *Tous ces messieurs les savants sont très gentils avec moi. Celui des appareils m'a pris en amitié, je lui ai raconté toute mon histoire : il dit que cette envie de naviguer, ça ne l'étonne pas, parce que, comme je suis Marseillais, je suis sûrement le fils de Phénicien.* »

CÉSAR *(inquiet).*

Félicien? Où? Où? Qu'est-ce que ça veut dire?

FANNY.

Il y a bien : le fils de Phénicien.

CÉSAR.

Le fils de Félicien? Et moi, alors, je ne serais pas son père? *(Brusquement.)* Ah! je comprends! je t'expliquerai. Continue, il y a quelque chose pour toi un peu plus loin...

ACTE PREMIER

FANNY.

« *Enfin, tout ça va très bien et j'espère que ma lettre te trouvera de même, ainsi que Fanny.* »

CÉSAR *(affectueux)*.

Ainsi que Fanny ! Tu vois qu'il pense toujours à toi.

FANNY.

« *Donne-moi un peu des nouvelles de sa santé et de son mariage avec ce brave homme de Panisse. Elle sera sûrement très heureuse avec lui, dis-le-lui bien de ma part.* »

CÉSAR *(gêné)*.

Tu vois, dis-le-lui de ma part. Tu vois, il pense à toi.

FANNY.

« *Écris-moi à mon nom : bord de* la Malaisie. *A Aden. Nous y serons le 15 septembre. Je t'embrasse de tout mon cœur. Ton fils, Marius.* »

CÉSAR *(avec émotion)*.

Ton fils, Marius.

FANNY.

En dessous, il y a : « *Ne te fais pas de mauvais sang, je suis heureux comme un poisson dans l'eau.* »

CÉSAR *(mélancolique)*.

Eh ! oui, il est heureux... Il nous a laissés tous les deux et pourtant, il est ravi... *(Fanny pleure. César se rapproche d'elle.)* Que veux-tu, ma petite Fanny, il est comme ça... et puis, il faut se rendre compte qu'il ne doit pas avoir beaucoup de temps pour écrire, et puis sur un bateau, c'est difficile ; ça remue tout le temps, tu comprends... Évidemment, il aurait pu mettre quelque chose de plus affectueux pour moi — et surtout pour toi... Mais peut-être que

85

juste au moment où il allait écrire une longue phrase exprès pour toi, une phrase bien sentimentale, peut-être qu'à ce moment-là, on est venu l'appeler pour mesurer l'océanographique ? Moi, c'est comme ça que je me l'explique... Et puis, c'est la première lettre... Il y en aura d'autres ! Té, maintenant, nous allons lui répondre. Et comme je n'écris pas très bien, parce que j'ai la main un peu grosse pour le porte-plume, tu vas écrire la lettre pour moi, tiens, cherche un sous-main et du papier, pendant que je mets le guichet, comme ça nous serons plus tranquilles.

(Il va verrouiller la porte. Fanny apporte un encrier, des plumes et du papier. Il s'assoit et il dicte.)

« Mon cher enfant,

« *Enfin, je reçois ta première lettre. Elle n'est pas bien longue... et j'espère que la prochaine durera au moins dix pages ou même vingt. Ce que tu me dis sur ton voyage est tout à fait intéressant et tes savants ne sont pas bêtes, surtout celui qui t'a dit que tu dois être le fils de Félicien, il ne s'est pas trompé de beaucoup, puisque Félicien, c'était le père de ta mère et par conséquent, tu as un peu de son sang. Regarde un peu ce que c'est, ces savants, rien qu'à le voir, ils sont allés deviner le nom de son grand-père !*

(On frappe à la porte.)

UNE VOIX.

Oou ! Il n'y a personne ?

CÉSAR.

C'est Hippolitre ! O Hippolitre !

HIPPOLITRE.

Pourquoi tu es fermé ?

ACTE PREMIER

CÉSAR.

Si tu veux boire, reviens dans une heure !

HIPPOLITRE *(doucement, insistant)*.

Mais pourquoi tu es fermé ?

CÉSAR.

Fermé pour cause de correspondance !

(On entend Hippolitre éclater de rire.)

HIPPOLITRE.

Oyayaï ! Oyayaï !

CÉSAR.

Voilà ce que c'est qu'un illettré ! Où j'en étais-je ? Continuons, attention : « *Quand tu vas commencer à mesurer le fond de la mer, fais bien attention de ne pas trop te pencher, et de ne pas tomber par-dessus bord — et là où ça sera trop profond, laisse un peu mesurer les autres.* » Je le connais, moi, M. Marius ; quand il avait 4 ans, un jour que je l'avais mené à la pêche sur la barquette de Panisse, il se penche pour regarder sa ligne — et pouf — un homme à la mer ! C'est vrai qu'à ce moment-là, il avait la tête plus lourde que le derrière, et que depuis ça s'est arrangé. Relis-moi la dernière phrase.

FANNY.

Laisse un peu mesurer les autres.

CÉSAR.

Souligne les autres. Bien épais. Bon. « *Et si quelqu'un... à bord, avait la peste, ne lui parle que de loin et ne le fréquente plus, même si c'était ton meilleur ami. L'amitié est une chose admirable, mais pas la peste, c'est la fin du monde.*

« *Ici, tout va bien et je me porte bien, sauf une colère terrible qui m'a pris quand tu es parti, et qui n'est pas encore arrêtée.*

« *La petite Fanny ne va pas bien. Elle ne mange pour ainsi dire plus rien et elle est toute pâlotte. (Fanny s'est arrêtée d'écrire.) Tout le monde le remarque et dans tout le quartier les gens répètent toute la journée : « La petite s'en ira de la caisse, et César partira du ciboulot ». Aussi, Honorine me fait des regards sanglants, et chaque fois qu'elle me regarde, je me demande si elle ne va pas me tirer des coups de revolver, et j'en ai le frisson de la mort.* « Pourquoi tu n'écris pas ?

FANNY.

Écoutez, César, ça, je ne crois pas que ce soit nécessaire de le mettre — parce que ça va lui faire de la peine.

CÉSAR *(hargneux).*

Eh bien? Il ne nous en a pas fait, à nous de la peine?

FANNY.

Oui, mais ça ne sert à rien de la lui rendre.

CÉSAR.

Au fond, c'est vrai, ça ne sert à rien... Alors, qu'est-ce que nous mettrons à la place?

FANNY.

Attendez : je vais vous l'écrire.

CÉSAR.

Non, non, ne l'écris pas. Dis-le-moi d'abord.

FANNY.

Nous mettrons : la petite Fanny est comme d'habitude. Pour son mariage avec Panisse, je crois bien que rien n'est encore fait, mais peut-être, je ne sais pas tout.

ACTE PREMIER

CÉSAR.

Excellent.

FANNY.

De temps en temps, nous parlons de toi gentiment, sur la terrasse du café — et quelquefois, le soir, quand tout est calme, pendant qu'Escartefigue fait la conversation avec Panisse et M. Brun, il nous semble réellement que tu n'es pas parti si loin, que tu es tout juste monté à la gare pour lui descendre ses paniers d'huîtres et que tu vas paraître sur la porte avec ton chapeau de paille et ton petit mouchoir autour du cou...

(Elle pleure. César se lève, lui tourne le dos et se mouche horriblement.)

RIDEAU

DEUXIÈME TABLEAU

Le décor représente la cuisine d'Honorine, éclairée par des cuivres et des carreaux rouges.

Au milieu, Claudine est assise. C'est une belle commère de trente-cinq ans. Elle a une robe verte, par-dessus laquelle elle a mis un tablier. Et tout en parlant avec sa sœur, elle tourne vigoureusement l'aïoli dans un mortier qu'elle serre entre ses genoux.

Honorine s'occupe de la marmite en bougonnant.

Scène I

HONORINE, CLAUDINE

HONORINE.

Et comment ça se fait qu'elle n'est pas à son éventaire, ce matin? Elle s'est encore fait remplacer par la femme d'Escartefigue.

CLAUDINE.

Oh! écoute, ma sœur, quand elle veut aller travailler, c'est toi qui lui dis de rester couchée ou d'aller se promener; et si par hasard, elle a envie de faire une petite promenade, alors, tu protestes. Ce n'est pas juste. Tu as peur qu'elle soit allée avec un galant?

HONORINE.

Malheureusement, ce n'est pas ça qui m'inquiète! Si elle pouvait prendre un galant et se marier, le plus tôt possible! Qu'elle épouse un singe, si elle veut, mais qu'elle se marie!

CLAUDINE.

Moi, je trouve qu'il n'y a pas le feu à la maison. Après tout, elle a dix-neuf ans et s'il faut qu'elle attende son fiancé pendant deux ans, il n'y a pas de quoi s'arracher les cheveux!

HONORINE *(sèchement)*.

Ce monsieur-là n'est pas son fiancé. Et elle ne peut pas attendre deux ans.

CLAUDINE.

Et pourquoi?

HONORINE.

Parce qu'elle est déshonorée. Il n'y a qu'un mariage pour lui rendre sa réputation. Tout le monde sait qu'elle a été la maîtresse de ce petit mastroquet. Tout le quartier ne parle que de ça.

CLAUDINE *(innocente)*.

Mais qu'est-ce qu'ils peuvent savoir?

HONORINE *(rageuse)*.

Que le soir à dix heures, Marius entrait ici avec elle et qu'il en sortait vers les sept heures du matin.

CLAUDINE.

Et qu'est-ce que ça prouve? Quand deux personnes sont toutes seules dans une chambre, va-t'en un peu savoir ce qu'ils font!

HONORINE *(avec mépris)*.

Tais-toi, vaï, tais-toi!

CLAUDINE.

Moi, je n'ai pas le mauvais esprit et je me dis : peut-être ils se parlaient tendrement, peut-être, ils faisaient des projets ou peut-être, ils se disputaient.

HONORINE.

Ou peut-être ils jouaient aux cartes! Tais-toi, va, tu n'es qu'une grosse bête!

ACTE PREMIER

CLAUDINE *(désespérée)*.

Ça, il y avait longtemps que tu ne me l'avais pas dit !
Et toujours il faudra que j'entende ça ! La pauvre maman,
elle, m'appelait coucourde ! A l'école, quand je me trompais, la maîtresse disait : « Ne riez pas, soyez charitables,
ce n'est pas de sa faute si elle est bête ! » J'en ai assez moi,
à la fin ! Tu crois que ça ne me ferait pas plaisir d'être
intelligente comme toi?

HONORINE.

Ne te fâche pas, va, ma belle Claudine !

CLAUDINE *(en larmes)*.

Laisse-moi, laisse-moi. C'est bien possible que je sois
bête, mais tout ce que je fais, je le fais de bon cœur.

*(On entend sonner le timbre de la porte d'entrée. Honorine
tire le cordon.)*

Scène II

LE FACTEUR, HONORINE, CLAUDINE.

(On entend dans le corridor une voix sonore.)

LE FACTEUR.

Mme Cabanis.

HONORINE.

C'est le facteur.

(Honorine ouvre la porte. Le facteur paraît.)

FANNY

LE FACTEUR.

Une lettre recommandée, et ça vient de Toulon.

HONORINE.

C'est de mon fournisseur de moules. *(Elle prend le petit carnet.)* Où c'est que je signe?

LE FACTEUR.

Là. *(Pendant qu'Honorine signe, le facteur se tourne galamment vers Claudine.)* Alors, Mme Claudine, vous êtes un peu Marseillaise, aujourd'hui?

CLAUDINE.

Eh oui! Je viens passer la journée chez ma sœur.

LE FACTEUR.

Elle est si brave votre sœur!

CLAUDINE.

Ah oui! qu'elle est brave!

LE FACTEUR *(machiavélique).*

Moi, vous savez comment je le sais qu'elle est brave?

CLAUDINE.

Non, je ne sais pas.

LE FACTEUR.

Eh bien, je le sais, parce que chaque fois que je lui apporte une lettre recommandée, c'est rare si elle m'offre pas un verre de petit vin blanc?

HONORINE.

Mais c'est tout naturel! et aujourd'hui, ça sera comme les autres fois!

ACTE PREMIER

LE FACTEUR *(digne)*.

Ah! non, pas aujourd'hui.

HONORINE.

Et pourquoi?

CLAUDINE.

Vous êtes malade?

LE FACTEUR.

Oh! non, pas du tout, seulement après ce que je viens de dire, vous pourriez vous imaginer que je l'ai demandé. Ça ne serait pas délicat.

HONORINE.

Qué, délicat! Tenez, c'est du bon petit vin de Cassis!

(Elle verse un verre de vin.)

LE FACTEUR.

Parce que les choses qu'on vous offre, ça fait toujours plaisir. Mais s'il faut les demander, eh bien, moi, ce n'est pas mon genre. A la vôtre.

(Il boit.)

CLAUDINE *(à voix basse, à Honorine)*.

Demande-z'y!

HONORINE.

Quoi?

CLAUDINE.

Ce que tu me disais tout à l'heure, il le sait, lui.

HONORINE.

C'est vrai. *(Elle s'approche du facteur.)* Dites, facteur, il faudrait que je vous demande un renseignement.

LE FACTEUR
(Il se verse un verre de vin blanc).

Bon. Allez-y, Norine.

HONORINE.

Est-ce que ma fille reçoit des lettres du fils de César?

LE FACTEUR *(digne).*

Ah! permettez. Cette question, je n'ai pas le droit d'y répondre.

CLAUDINE.

Et pourquoi?

LE FACTEUR.

Et le secret professionnel? Qu'est-ce que vous en faites? Vous savez ce que c'est, vous, le secret professionnel? Non. Moi je le sais.

HONORINE.

Écoutez, il s'agit de ma fille. Il s'agit de choses très importantes pour moi. Dites-moi seulement oui ou non.

LE FACTEUR *(solennel).*

Honorine, malgré toute mon amitié pour vous, et malgré mon respect pour votre vin blanc, je ne peux rien vous dire. Impossible. Je voudrais parler, mais je ne peux pas. Figurez-vous que j'ai sur la bouche un de ces gros cachets de cire rouge qu'on met sur les lettres chargées. Simplement. Alors, je voudrais parler, j'essaie, mais je ne peux pas.

ACTE PREMIER

HONORINE.

Allez ! vaï !

CLAUDINE.

Ce n'est pourtant pas difficile de dire oui ou non.

LE FACTEUR.

Mais malheureuse, réfléchissez une demi-seconde. Dans cette boîte, il y a chaque matin les secrets de toutes les familles du quai de Rive Neuve. Si j'allais dire, même à ma femme, même dans l'obscurité, même à voix bassc, que M. Lèbre reçoit *à son bureau* de petites lettres roses comme celle-ci. *(Il brandit une lettre.)* Elle vient d'Antibes, du Casino où chante Mlle Félicia. Si j'allais dire que cette lettre *(Il brandit une autre lettre.)* adressée à Mme Cadolive, vient de la prison d'Aix où son fils aîné finit ses trois ans, pour cambriolage... Qu'est-ce que vous penseriez de moi ? Non, non, ça c'est le secret professionnel ! et celui qui ne le respecte pas, c'est un mauvais facteur qui mérite d'aller en galère. Aussi, moi je ne lis même pas les cartes postales ; je ne lis que l'adresse, de l'œil droit.

CLAUDINE
(Elle lui verse un autre verre de vin).

Mais ce que ma sœur vous demande, ça ne risque pas de faire un drame.

HONORINE.

Si vous me le dites, vous me donnez un renseignement bien précieux pour le bonheur de ma petite. Allez, vaï ! soyez brave ! dites-le-moi !

LE FACTEUR *(digne).*

Revêtu de cet uniforme, je suis l'esclave du devoir, Honorine, esclave. Mais peut-être qu'avec un peu d'intelligence, nous pourrions nous arranger. Fermez la fenêtre.

FANNY

Attention? Regardez-moi bien. Et posez-moi votre question.

HONORINE.

Est-ce que Fanny reçoit des lettres de Marius?

LE FACTEUR.

Attention au mouvement. *(De la tête, il dit non.)*

HONORINE.

Vous êtes sûr qu'elle n'en reçoit pas?

LE FACTEUR.

Attention. Regardez-moi bien. *(De la tête, il dit oui.)*

CLAUDINE.

Vous en êtes sûr qu'elle n'en a jamais reçu?

LE FACTEUR.

Regardez-moi bien. *(De la tête il dit oui.)*

HONORINE.

Mais si jamais elle en reçoit une, vous me préviendrez?

LE FACTEUR *(indigné).*

Mais non, mais non, je n'ai pas le droit. Je ne vous préviendrai pas.

CLAUDINE.

Allez, vous n'êtes pas gentil.

LE FACTEUR.

Tant pis! Moi, je ne tiens pas à être gentil. Je fais mon devoir, voilà tout! Si Marius lui écrit et que je le voie par les tampons sur l'enveloppe, je ne vous le dirai pas. Seulement, n'est-ce pas, elle a le même nom que vous. Alors, il pourrait arriver par hasard que je me trompe et que je vous donne la lettre à vous ! Mais ça ne serait pas de ma faute.

HONORINE.

Ah ! ça serait parfait !

LE FACTEUR.

Ce serait parfait si ça arrivait. Alors, au revoir, Norine. Et excusez-moi.

HONORINE.

De quoi ?

LE FACTEUR.

De n'avoir pu vous donner le renseignement. Si j'avais pu, ça aurait été avec plaisir. Mais qu'est-ce que vous voulez, je n'ai pas le droit: C'est le secret professionnel.

(Il sort.)

Scène III

CLAUDINE, HONORINE.

CLAUDINE.

Eh bien, tant mieux, qu'il ne lui écrive pas. Parce que comme ça, ça va lui passer. Elle l'oubliera.

HONORINE.

Oui, elle l'oubliera ou bien elle va mourir de mauvais sang.

CLAUDINE *(rêveuse)*.

Tu crois? Mais alors, ça serait un amour comme au cinéma. Une passion. C'est terrible, mais quand même c'est beau.

HONORINE.

Ah! tu trouves que c'est beau, toi? Ça te paraît beau ma situation? Elle est désespérée, ma situation. Je ne dors plus, je ne mange plus, je n'ose plus regarder mes amies.

CLAUDINE.

Va, n'exagère pas, Honorine. Moi, dans ma petite jugeotte, je ne m'effrayais pas trop jusqu'à maintenant. Je me pensais : petit à petit, elle va l'oublier et à la fin des fins, si elle n'en trouve pas un qui soit mieux, elle épousera Maître Panisse.

HONORINE.

Ah! moi aussi, je l'espérais!

CLAUDINE.

Eh bien, tu vois que je ne suis pas si bête que ça, puisque je pensais comme toi.

HONORINE.

Eh oui, mais moi, quand je pensais ça, j'étais aussi bête que toi. Parce que maintenant, même si elle reprend le dessus, même si elle accepte maître Panisse, eh bien, ça ne se fera pas, parce que c'est Panisse qui ne voudra plus.

CLAUDINE.

Et pourquoi il ne voudrait plus?

HONORINE.

Mais à cause de toute la comédie, parbleu! Tu crois

que c'est rassurant pour un homme de cinquante ans, d'épouser une jeune fille qui meurt d'amour en public, pour un autre?

CLAUDINE *(inquiète).*

Il te l'a dit?

HONORINE.

Mais non, il ne me l'a pas dit, mais quand je le rencontre, il ne me dit plus rien.

CLAUDINE *(même jeu).*

Il ne te parle plus?

HONORINE.

Il me parle de la pluie et du beau temps, mais de la petite plus un mot! *(Le timbre de la porte d'entrée retentit. Honorine se lève en disant:)* Qu'est-ce que c'est? *(Puis elle va tirer sur le levier qui ouvre la porte. Enfin, elle ouvre la porte de la salle à manger, regarde dans le corridor et dit avec étonnement.)* C'est un monsieur avec un chapeau gibus.

CLAUDINE *(effrayée).*

Moun Diou! C'est peut-être un huissier!

HONORINE *(indignée).*

Mais pourquoi ce serait un huissier? Moi, je dois rien à personne!

(La porte s'ouvre, entre Panisse en habit et chapeau gibus et gants blancs.)

103

FANNY

Scène IV

HONORINE, PANISSE, CLAUDINE,
LE CHAUFFEUR

HONORINE.

Mon Dieu, c'est vous, Panisse?

PANISSE *(souriant)*.

Eh oui, c'est moi. Bonjour, mesdames.

CLAUDINE *(coquette)*.

Bonjour, Maître Panisse, et comment ça va?

PANISSE.

Mais ça va très bien, chère madame Claudine, et vous-même?

CLAUDINE.

Comme vous voyez, ça ne va pas mal!

PANISSE *(galant)*.

Moi, je vous trouve très en beauté.

HONORINE.

C'est vous qui êtes beau. Quand je vous ai vu dans le couloir, vous m'avez fait peur.

PANISSE.

C'est-à-dire que je viens du mariage d'un vieil ami, Ulysse Pijeautard, le gantier de la rue Paradis. Et voilà pourquoi je suis en habit.

CLAUDINE *(admirative)*.

Et gants blancs.

ACTE PREMIER

PANISSE *(charmé)*.

Et gants blancs, comme vous voyez.

CLAUDINE.

Ça vous va bien, vous savez?

PANISSE *(désinvolte)*.

Oui, l'habit ça flatte toujours; et ce n'est pas moi qui suis élégant, c'est mon costume.

CLAUDINE *(flatteuse)*.

Ah! ne dites pas ça, maître Panisse! Il faut savoir le porter! Et vous, vous le portez bien. Pas vrai, Norine?

(Les deux sœurs ont échangé un coup d'œil d'intelligence.)

HONORINE.

Ah! oui, pour ça, il le porte bien. Mais comment ça se fait que vous ne soyez pas resté au banquet de la noce?

PANISSE.

Parce qu'aujourd'hui, c'était le mariage à la mairie. Le banquet ça sera demain et d'abord, ça ne sera pas un banquet. Ça sera un « lonche ». C'est un mot anglais. Ça veut dire banquet d'ailleurs, mais c'est beaucoup plus distingué.

HONORINE.

Et c'était joli, cette noce?

PANISSE.

C'était charmant. C'était même émouvant. Pour moi, surtout. Pijeautard était veuf comme moi. Et à peu près de mon âge, comme moi. Et il a épousé une jeune fille ravissante. Oui, sa caissière. Toute jeune.

CLAUDINE *(enthousiaste)*.

Il a bien fait.

PANISSE *(machiavélique)*.

Il y avait deux ou trois personnes à la sortie de la mairie qui ont eu un peu l'air de se foutre de lui. Moi, il me semble que ces personnes n'ont pas eu raison. Et vous, qu'est-ce que vous en pensez?

CLAUDINE.

C'est des jaloux, voilà ce que c'est!

PANISSE.

Qu'est-ce que vous en pensez, vous, Honorine?

HONORINE.

Si ça fait plaisir à cette petite, tout est pour le mieux!

CLAUDINE.

Quand un homme de cinquante ans a envie de se marier, et quand sa situation lui permet de s'offrir une jeunesse, pourquoi voulez-vous qu'il aille chercher une femme vieille et laide, qui dépense vingt sous par jour de tabac à priser?

PANISSE.

Alors, vous, vous approuvez Pijeautard?

CLAUDINE *(rayonnante)*.

Moi, je le félicite.

PANISSE.

Parfaitement raisonné. Ma chère Claudine vous avez toujours eu du bon sens; et vous, Norine? Est-ce que vous le blâmez ce cher, ce bon, ce sympathique Pijeautard?

ACTE PREMIER

HONORINE.

Ma foi, non, je ne le blâme pas s'il la rend heureuse, et s'il lui a donné toutes les garanties de bonheur et de fortune.

PANISSE.

Mais, naturellement qu'il les lui a données et même, il est tout prêt à lui en donner d'autres si elle l'exige ou si ça peut faire plaisir à sa mère ! C'est la moindre des choses. Donc, nous sommes tous d'accord, n'est-ce pas ? Nous approuvons hautement ce mariage et nous félicitons Pijeautard ?

CLAUDINE.

Té, s'il était là, je l'embrasserais.

PANISSE.

Eh bien, ma chère Honorine, puisque je vois qu'ici le bon sens règne désormais, je pense que l'occasion est bien choisie pour renouveler aujourd'hui une démarche dont le résultat aura, sur tout mon avenir, une importance capitale. Je pensais vous trouver seule ; mais Mme Claudine est de la famille, elle ne me gêne pas, au contraire.

CLAUDINE *(à Honorine)*.

Hum !

HONORINE.

Attendez une seconde, Panisse. Donnez-moi le temps d'enlever mon tablier. *(Elle enlève son tablier, tandis que Panisse attend appuyé sur sa canne et le chapeau à la main. Puis il ôte ses gants et les jette au fond de son chapeau. Honorine se rassoit.)* Allez-y !

PANISSE.

Je veux épouser votre fille. Vous le savez très bien,

puisque je vous l'ai déjà demandée. Et aujourd'hui j'ai profité de l'habit, pour renouveler ma demande. Vous me la donnez ou vous ne me la donnez pas?

CLAUDINE *(enthousiaste).*

Mais oui, on vous la donne!

HONORINE.

De quoi tu te mêles, toi, grosse bête? *(un temps).* Mon cher Panisse, il ne serait guère convenable que je vous donne une réponse si brusquement... Il faut me laisser au moins un jour pour réfléchir... Et d'ailleurs, avant de commencer à réfléchir, il faut que je vous pose des conditions. Oh! Pas la question d'argent, puisque nous l'avons déjà discutée.

PANISSE.

Ben, je comprends! Vous êtes même venue au magasin pour regarder ma comptabilité! Alors, à propos de quoi, ces conditions?

HONORINE.

Vous savez ce qui s'est passé depuis notre dernière conversation à ce sujet?

PANISSE.

Depuis ces six mois, il s'est passé beaucoup de choses. Le maire a démissionné, Pitoffi a gagné le concours de boules du Petit Provençal, il y a eu le tremblement de terre au Mexique, Piquoiseau s'est cassé la jambe, et j'ai fait repeindre mon magasin. Tout ça, c'est du passé, ça n'existe plus, et ce qui m'intéresse, moi, c'est l'avenir.

HONORINE.

Eh bien, c'est justement à cause de l'avenir qu'il faut que je vous dise un mot de... *(à voix basse)* Marius.

ACTE PREMIER

PANISSE.
Il est parti, n'en parlons plus.

HONORINE.
Il faut quand même que vous sachiez...

PANISSE *(gêné)*.
Oui, oui, je sais, je sais.

CLAUDINE.
N'insiste pas, Norine. Il te dit qu'il sait.

HONORINE.
Mais peut-être vous ne savez pas tout.

PANISSE *(impatient)*.
Mais oui, Norine, je sais tout ce que j'ai à savoir!

HONORINE.
Tout? Panisse? Tout?

PANISSE *(brusquement)*.
Écoutez, Norine, Marius c'est un sujet de conversation que je n'aime pas beaucoup. Parlez-moi de la pluie, du beau temps, de la vie chère, ou même des impôts, mais ne me parlez pas de Marius.

HONORINE.
Et moi, vous croyez que ça me plaît de parler de lui? Moi, c'est par honnêteté que je fais allusion au fait que j'ai trouvé ma fille couchée avec lui.

PANISSE *(désespéré)*.
O Bonne Mère! Il a fallu qu'elle le dise!

FANNY

CLAUDINE.

Ne la croyez pas ! Elle s'imagine...

HONORINE.

Je m'imagine que ça s'est passé dans sa chambre, devant le portrait de sa grand'mère.

CLAUDINE.

Mon Dieu !

PANISSE.

Vous ne pouvez pas la tenir, votre langue ?

HONORINE.

Ma langue, je la tiens, quand je veux. Mais je voulais vous le dire pour que, ensuite, vous n'alliez pas nous faire des scènes en disant qu'on vous l'avait caché. Et maintenant, j'irai plus loin. Comme il s'agit d'une affaire très grave, je vais être franche jusqu'au bout. Ce que je vais vous dire, je ne l'ai jamais dit à personne, et il ne faut pas que vous le répétiez jamais.

PANISSE.

Bon. Jamais.

HONORINE.

Jurez-le moi.

PANISSE.

Je vous le jure.

HONORINE.

Sur qui ?

PANISSE *(ému).*

Sur la tombe de ma première femme, Norine.

110

ACTE PREMIER

HONORINE.

Bon. Eh bien, à cause de ça, je me demande si elle n'a pas le caractère de ma sœur Zoé.

PANISSE *(inquiet)*.

Pas possible !

CLAUDINE.

Mais pas du tout !

HONORINE.

Zoé aussi, quand elle avait 15 ans, elle était sage, elle jouait toute seule avec ses poupées... elle n'aimait pas les garçons, et si un essayait de l'embrasser dans un coin, elle lui graffignait la figure comme une furie... Et puis, après, quand elle a connu l'Espagnol, adiou botte ! Ça lui a pris comme un coup de mistral, et elle est devenue ce que vous savez : elle était comme un parapluie fermé, qui ne peut pas tenir debout tout seul.

PANISSE *(solennel)*.

Les parapluies fermés tiennent très bien debout, Norine quand ils ont un mur pour s'appuyer.

HONORINE.

C'est vous le mur ?

PANISSE.

Oui, c'est moi le mur.

CLAUDINE.

Vous êtes brave, Panisse.

PANISSE.

Pas tant que ça, pas tant que ça ! Mais je l'aime bien.

HONORINE *(touchée)*.

C'est vrai Panisse?

PANISSE.

Et puis, il faut un peu risquer dans la vie, quand on veut avoir quelque chose...

HONORINE.

Peut-être que vous prenez un grand risque...

CLAUDINE *(éclatant)*.

Enfin, ça, c'est son affaire, après tout! Ne le décourage pas, cet homme!

HONORINE.

En tout cas, vous allez me promettre une chose.

PANISSE.

Laquelle?

HONORINE.

Promettez-moi que si elle vous trompe, vous ne me la tuerez pas.

PANISSE.

Je suis un brave homme, vous venez de le dire, mais sur ce chapitre, je ne peux rien vous promettre à l'avance. Surtout qu'il paraît que le fondateur de ma famille, c'était un Turc. Et vous devez savoir qu'en Turquie il n'y a pas de cocu. Il n'y a que des veufs. Si elle me trompe, je ne sais pas ce que je ferai, je vous le dis franchement.

HONORINE.

Alors, pourquoi vous n'avez pas tué votre première femme?

ACTE PREMIER

PANISSE.

Parce qu'elle ne m'a jamais trompé, et parce qu'elle me tenait ma comptabilité, ça lui prenait tout son temps.

HONORINE.

Alors, c'est non, et c'est non, et c'est non !

CLAUDINE.

Non ! Non ! Non !

PANISSE.

Attendez ! Naturellement, je ne chercherai jamais à savoir si elle me trompe : cette sorte de surveillance serait indigne de moi. Et si on vient me donner n'importe quelle preuve, et même si on me la montrait dans les bras d'un galant, eh bien, j'ai tellement confiance en elle que je ne le croirai jamais.

CLAUDINE.

Bravo !

PANISSE.

Voilà l'exacte position de la question.

HONORINE.

Ça, c'est différent ! Eh bien, écoutez, j'irai vous porter ma réponse demain au soir, chez vous.

PANISSE.

Bien ! Puis-je avoir un petit espoir ?

CLAUDINE.

Oh ! un gros, Panisse, un gros espoir.

PANISSE.

Je me retire donc, ma chère Honorine : la démarche

officielle est terminée. Sachez que chez moi, parmi les voiles et les cordages, j'attends. J'attends dignement.

(Une orange crevée, traîtreusement lancée par la fenêtre, par le chauffeur, fait tomber le mirifique chapeau. Panisse se retourne brusquement, fou de rage.)

PANISSE.

O booumian ! O mange punaises ! Et c'est le chauffeur d'Escartefigue, encore !

(Honorine a ramassé le chapeau, et elle l'essuie avec son tablier.)

HONORINE.

Le plus malheureux, c'est que l'orange était pourrie.

PANISSE.

L'orange était pourrie ! *(avec plus de force.)* O braconnier, tu ne pouvais pas prendre une orange neuve pour un chapeau de trois cents francs !

LA VOIX DU CHAUFFEUR *(éperdu).*

Monsieur Panisse, je vous avais pas reconnu !

PANISSE.

Viens ici ! Viens ici, sinon j'appelle le commissaire ! Viens ici ! *(Le chauffeur entre par la fenêtre.)* Tourne-toi, que je te donne le coup de pied que tu mérites !

LE CHAUFFEUR *(qui se tourne).*

Pas trop fort, monsieur Panisse !

PANISSE *(terrible).*

Tourne-toi !

ACTE PREMIER

LE CHAUFFEUR *(en se tournant à demi
et pendant que Panisse prend son élan).*

Je l'ai pas fait exprès... Je vous avais pris pour un Anglais.

PANISSE *(Il arrête ses préparatifs).*

Tu m'avais pris pour un Anglais?

LE CHAUFFEUR.

Par derrière, monsieur Panisse... Si vous pouviez vous voir.

PANISSE *(ravi).*

Dites, Norine, il me prenait pour un Anglais !...

HONORINE.

Après tout, c'est possible !

(Honorine lui rend son chapeau. Le chauffeur qui se sent pardonné, tend son derrière avec une bonne volonté touchante.)

PANISSE.

Repos ! Au fond, ce n'est pas tout à fait de ta faute, va ! Au revoir, Norine. Au revoir, Claudine. Mais à l'avenir chaque fois que tu verras un Anglais, fais bien attention que ce ne soit pas moi !

(Il sort digne et souriant.)

Scène V

CLAUDINE, HONORINE, LE CHAUFFEUR.

CLAUDINE.

Eh bien ! ça y est, tu vois que ça y est, j'en étais sûre. Mais la petite, elle, est-ce qu'elle voudra ?

HONORINE.

J'en sais rien, té ! Maintenant, quoi qu'il arrive, nous sommes parées. Si elle ne veut pas Panisse, qu'elle en trouve un autre. Si elle n'en veut pas d'autre, qu'elle prenne Panisse. Je ne sortirai pas de là. *(Au chauffeur qui est assis sur la fenêtre.)* Oh ! Frise-poulet ! tourne un peu la tête du côté du bar et dis-moi si tu ne vois pas venir Fanny ?

LE CHAUFFEUR.

Qu'est-ce que vous me donnez si je regarde ?

HONORINE.

Comment : qu'est-ce que je te donne ?

LE CHAUFFEUR.

Ça vaut bien cinq sous, allez !

CLAUDINE.

Quel toupet !

LE CHAUFFEUR.

Écoutez, madame Claudine, si j'avais pas le torticolis, c'est un travail que je vous ferais pour rien, je n'aurais qu'à tourner la tête, mais avec ce que j'ai, il faut que je me tourne tout entier, ça vaut cinq sous ! ou alors, un bout de pain.

ACTE PREMIER

HONORINE.

Tu n'as pas de quoi manger?

LE CHAUFFEUR.

Je n'ai plus d'argent. Je l'ai tout perdu en jouant à sèbe.

HONORINE

(Elle lui lance un gros morceau de pain).

Tiens, malfaisant ! Tu la vois Fanny ?

LE CHAUFFEUR.

Oui, je la vois... Ah ! non, té, c'est pas elle, c'est la charrette des balayures.

HONORINE *(la main levée).*

Tout aro ti mandi un basseou !

LE CHAUFFEUR.

Allez, vaï, rigolez pas... Je vous ai dit ça pour rire... Si elle paraît, je vous le dirai. Dites, qu'est-ce que je vais manger avec ça ?

HONORINE.

Si des fois, tu voulais un poulet rôti?

LE CHAUFFEUR.

Ah ! oui, té... Ça c'est gentil, Norine... Mais bien cuit, qué? Autrement, je le veux pas.

HONORINE.

Tiens, voilà un bout de fromage !

CLAUDINE.

Et ne casse plus les chapeaux du monde !

LE CHAUFFEUR
(Il essaie de mordre le fromage).

Merci, Norine... O coquin de sort qu'il est dur ! Il n'y manque que le manche pour faire un marteau... Té, voilà Fanny qui s'amène de ce côté. *(Il saute dans la rue.)* Merci qué, Norine ? *(Il part en dansant et en chantant.)*
Madame de Limagne
Fai dansa lei chivaou frus :
Li doune des castagnes
Disoun que n'en voulon plus !

CLAUDINE *(à la fenêtre).*

La voilà qui vient ! Ne lui parle pas de Panisse tout de suite. Attends que nous soyons à table. Ça sera plus en famille.

Scène VI

HONORINE, CLAUDINE, FANNY.

(Entre Fanny. Elle est très pâle, elle marche comme une somnambule.)

HONORINE.

Enfin, mademoiselle arrive ! Et où tu étais, petite coquine ? Tu vas te faire remplacer tous les jours, maintenant ?

(Fanny ne répond pas. Elle traverse la pièce, elle va s'asseoir sur le fauteuil, et elle regarde fixement devant elle.)

CLAUDINE *(Elle va l'embrasser).*

Bonjour, petite !

ACTE PREMIER

FANNY *(Avec effort)*.

Bonjour, tante...

(un long silence.)

HONORINE *(aigre)*.

Elle ne t'a pas fait beaucoup de bien, la promenade !
Tu ne peux plus nous parler, maintenant ?

CLAUDINE.

Mais oui, elle peut parler ! Mais nous ne lui laissons
pas le temps de dire un mot ! *(à Fanny.)* Alors, tu es allée
faire un petit tour ?

FANNY.

Oui.

CLAUDINE.

Et qu'est-ce que tu regardes?

FANNY.

Rien.

HONORINE.

Ah ! écoute, vé ! aujourd'hui que tante Claudine vient
nous voir, ne recommence pas à faire le mourre, s'il te
plaît !

CLAUDINE.

Mais non, Norine, elle ne fait pas le mourre !

HONORINE.

Mais regarde-la ! Elle fait un mourre de six pieds de
long !

CLAUDINE.

Allez, vaï, ne la gronde pas ! *(à voix basse.)* Tu ne vois pas que c'est la Passion ? *(à haute voix.)* Nous allons bavarder à table, toutes les trois, en famille... D'abord, moi, j'ai faim. Té, Fanny, aide-moi à mettre le couvert ! *(elle a pris une nappe dans un tiroir, elle la déploie.)* Tu n'as pas faim, toi ? *(Fanny la regarde sans la voir. Puis, brusquement, elle se lève, elle va à sa mère, et elle parle.)*

FANNY.

Maman, je vais avoir un enfant.

HONORINE *(figée)*.

Qu'est-ce que tu dis ?

CLAUDINE.

Fanny ? Mais qu'est-ce que c'est que cette idée ?

FANNY.

Je vais avoir un enfant. Le docteur vient de me le dire.

HONORINE.

Ah ! mon Dieu ! Ah ! mon Dieu ! *(Elle tombe sur une chaise. Elle se relève brusquement.)* Ce n'est pas possible ! Ce n'est pas vrai !

CLAUDINE *(aux anges)*.

Un enfant !

HONORINE
(Elle court à la porte et l'ouvre toute grande).

Va-t'en, fille malhonnête ! Va-t'en, fille perdue ! Si ton pauvre père était là il te tuerait ! Moi, je t'ouvre la porte !

ACTE PREMIER

CLAUDINE.

Et où veux-tu qu'elle aille?

HONORINE.

A la rue, les filles des rues! Moi, tu n'es plus ma fille,
je ne veux plus te voir!

FANNY.

Maman!

HONORINE.

Monte dans ta chambre, va faire tes paquets, et file!

CLAUDINE.

Norine, ne dis pas des folies... Tais-toi, Norine... Tais-toi!

HONORINE.

C'est encore pire que Zoé! C'est la honte sur la famille!
Va-t'en tout de suite, ou je te jette dehors à coups de
bâton, petite cagole!

CLAUDINE.

Norine! *(pendant que Claudine retient sa sœur, Fanny
chancelle. Elle va tomber.)*

HONORINE
(Elle s'élance pour la retenir).

Et la voilà qui s'évanouit, maintenant! *(elle la retient
dans ses bras.)* Du vinaigre! Vite, du vinaigre!

(Claudine court prendre la bouteille de vinaigre.)

CLAUDINE.

Tu n'as pas honte, dans la position qu'elle est? Tu veux
la tuer?

FANNY

HONORINE.

Fanny !

CLAUDINE.

Peuchère ! Elle est blanche comme une morte !

HONORINE *(affolée).*

Fanny ! Ma petite Fanny ! Ma fille !

CLAUDINE.

Fanny !

HONORINE.

Ma fille ! Ma petite fille chérie ! Fanny ! Ne meurs pas ! Vite, ouvre les yeux, ne meurs pas ! Fanny, je te pardonne, mais ne meurs pas !

(Fanny ouvre les yeux.)

FANNY.

Maman ! Ce n'est rien, maman... Là, tu vois, c'est passé...

CLAUDINE *(Elle lui met sous le nez le coin d'une serviette mouillé de vinaigre).*

Respire, tiens, respire... La couleur lui revient...

HONORINE *(de nouveau déchaînée).*

Ah ! c'est de honte que tu devrais rougir ! Tu devrais t'étouffer de honte !

CLAUDINE *(violente).*

Ah ! toi, tais-toi ! Dès qu'elle tourne de l'œil, tu sanglotes, et dès qu'elle va mieux, tu recommences ! Laisse-la tranquille.

ACTE PREMIER

HONORINE.

Alors, toi, tu trouves tout naturel qu'une fille rentre chez elle avec un polichinelle sous le tablier?

CLAUDINE.

D'abord ne crie pas, que tout le quartier nous écoute.

(Elle va fermer la fenêtre.)

HONORINE *(à Fanny)*.

Tu n'as pas honte?

CLAUDINE.

Mais oui, elle a honte, tu le vois bien! Évidemment, ce qui arrive, c'est un grand malheur. Mais enfin, après tout ce que tu m'as raconté, tu pouvais un peu t'y attendre! Quand une fille a un amant, elle attrape un enfant plus facilement que le million! Ça, ça prouve son innocence, au contraire! Laisse-moi lui parler. Écoute, Fanny, ne t'effraie pas. Réponds bien doucement, sans te fatiguer. Tu en es sûre, de ce malheur? *(De la tête, Fanny dit oui.)* Bon. Et cet enfant, de qui est-il? De Marius?

HONORINE *(avec fureur)*.

Et de qui veux-tu qu'il soit? Elle n'a quand même pas encore couché avec tout Marseille!

CLAUDINE.

Bon. Il est de Marius.

HONORINE.

Ah! celui-là, si je le tenais! Elle a tort, elle, naturellement. Mais c'est une enfant, elle ne savait pas, il l'a trompée, il a dû se jeter sur elle, comme une bête sauvage! Oh! mais j'irai me plaindre à la justice, moi! Au bagne,

FANNY

à casser des pierres ! Au bagne, les forçats, les saligauds, les assassins, les satyres ! Bonne Mère, que les diables de la mer lui mangent son bateau sous les pieds ! Que les favouilles le dévorent, celui qui a ruiné la vie de ma pauvre petite innocente ! *(Elle prend Fanny dans ses bras, elle l'embrasse.)* Ma pauvre petite !

CLAUDINE.

Ah ! évidemment ça prouve bien que ce garçon n'a guère de délicatesse... Faire un enfant à une jeune fille, c'est un gros sans-gêne. Mais le mal est fait, et bien fait.

HONORINE.

Oui, on peut dire que c'est réussi.

CLAUDINE.

Mais maintenant, il faut trouver le remède, pas plus...

HONORINE *(sarcastique).*

Et oui, pas plus ! Dis-moi, ma petite, dis-moi, maintenant, depuis quand tu le sais ?

FANNY.

Depuis qu'il est parti, je me sentais malade... Je n'étais plus comme d'habitude... J'avais mal au cœur tous les matins...

HONORINE.

O Bonne Mère !

FANNY.

Et puis, je mangeais beaucoup.

HONORINE.

Mais à table tu ne prenais rien !

ACTE PREMIER

FANNY.

Je mangeais par caprice, n'importe quand, n'importe quoi. Du pain, du chocolat, des fruits, des coquillages, ça me prenait comme ça tout d'un coup... Et puis, j'avais l'air très maigre, et quand je me suis pesée, j'ai vu que je n'avais pas maigri. Au contraire.

CLAUDINE.

Moun Diou! Ça y était!

FANNY.

Alors, j'ai eu peur, une peur horrible... J'y pensais le jour, j'y pensais la nuit... Je pleurais tant que j'en étais saoule... Marius ne m'écrivait pas... J'ai pensé à me jeter à la mer.

HONORINE.

Malheureuse! Ne fais jamais ça! Va, comme tu as dû souffrir de porter ton secret toute seule!

FANNY.

Et enfin, ce matin, je me suis décidée. Je suis allée voir un docteur. Le docteur Venelle.

HONORINE *(découragée)*.

Un bon docteur. Un savant, celui-là! Et qu'est-ce qu'il t'a dit?

FANNY.

Que ça serait pour le mois de mars.

HONORINE *(découragée)*.

Eh bien! Un joli mois! Le mois des fous! Et après, qu'est-ce que tu as fait? Je parie que tu es allée raconter la chose à César?

FANNY

FANNY.

Non. Après, je ne sais pas. Je suis partie dans les rues, j'ai marché... Je ne sais où je suis allée... A la fin, j'ai bu du rhum dans un café, et je suis venue ici, pour tout te dire.

HONORINE.

Eh bien, nous sommes propres ! Ne pleure pas, vaï. Ça ne sert à rien. Après tout, l'honneur, c'est pénible de le perdre. Mais quand il est perdu, il est perdu. Que voulez-vous y faire ?

CLAUDINE.

Et puis, tant que personne ne le sait, il n'y a pas de déshonneur ! Si on criait sur la place publique les fautes de tout le monde, on ne pourrait plus fréquenter personne !

HONORINE.

Toi, maintenant, qu'est-ce que tu comptes faire ?

FANNY *(Elle se jette dans ses bras)*.

Je ferai ce que tu voudras, pourvu que tu me gardes.

HONORINE.

Alors, c'est tout simple, et nous sommes sauvées. Épouse Panisse.

FANNY.

Tu crois qu'il me voudrait encore ?

CLAUDINE.

Il est venu te redemander il n'y a pas dix minutes. Avec la queue de morue, et les gants blancs !

HONORINE.

Et cette fois-ci, c'est oui, oui, oui !... Mariage dans quinze jours et je vais lui porter la réponse tout à l'heure !

ACTE PREMIER

CLAUDINE.

Qu'est-ce que tu en dis toi?

FANNY *(hésitante).*

Moi, je pense que je gagne très bien ma vie; je suis capable de travailler, de me débrouiller toute seule. Mon idée, si maman me le permettait, ce serait de ne pas me marier, et d'élever mon enfant par mon travail, en attendant que son père revienne, s'il revient.

CLAUDINE.

C'est beau, mais c'est difficile.

HONORINE.

Difficile? Impossible, tu veux dire. Qu'elle fasse un enfant sans avoir un mari? Ne perdons pas notre temps à dire des choses qui n'ont pas de sens!

FANNY.

Maman, et la fille du brigadier des douanes, Madeleine Cadot, est-ce qu'elle n'a pas une enfant sans père? Elle l'élève très bien, et elle n'est pas malheureuse!

HONORINE.

Ce n'est pas la même chose. Le père est mort juste comme ils allaient se marier, tandis que le tien est parti à la nage à toute vitesse, de toutes ses forces, pour ne pas t'épouser. Et puis, tu ne vas pas comparer la famille Cadot avec la nôtre. Les Cabanis!

CLAUDINE.

Eh oui, c'est vrai! Vous autres vous êtes des Cabanis! Et puis, fais bien attention, Fanny : dans toutes les familles, il peut y avoir une fille-mère ou une garce. Ça se pardonne, parce que c'est naturel. Mais maintenant, chez nous, c'est impossible parce que notre sœur Zoé a déjà pris le tour!

127

FANNY

HONORINE.

Si tu n'acceptes pas Panisse, nous sommes tous déshonorés, et moi je mourrai de chagrin, par ta faute!

CLAUDINE.

Si tu en as un autre en vue, qui te plaise et qui t'aime assez, dis-le! Le petit Victor, par exemple?

FANNY.

Oh! non, pas Victor.

HONORINE.

Il n'y a point de santé dans cette famille... C'est vrai que la santé du père n'a pas une grande importance, puisque l'enfant est déjà tout fait! Mais le fils de Balthazar, qui te fait les yeux blancs depuis le catéchisme? Il est riche! Il est beau garçon...

FANNY.

Non, non, je n'en veux pas un jeune. Si tu me forces à me marier, alors, je préfère Panisse.

HONORINE.

Et tu as raison.

FANNY.

Mais lui, est-ce qu'il me voudra?

HONORINE.

Puisqu'on te dit qu'il te redemande!

FANNY.

Oui, mais il ne savait pas.

HONORINE.

Il sait très bien tout ce qui s'est passé avec Marius. J'ai pris la précaution de le lui rappeler tout à l'heure!

ACTE PREMIER

FANNY.

Il ne peut pas savoir que j'attends un enfant!

HONORINE.

Heureusement, qu'il ne peut pas le savoir! Ça sera un enfant de sept mois, voilà tout!

FANNY *(stupéfaite)*.

Tu veux que je l'épouse sans lui dire la vérité?

CLAUDINE.

Mais toi, tu serais assez bête pour aller lui raconter la chose?

FANNY.

Mais il le faut, voyons! Il a le droit de le savoir!

HONORINE.

Elle est folle, ou alors, elle le fait exprès. Tu ne sais plus qu'inventer pour nous mettre dans l'ennui.

CLAUDINE.

Fanny, tu te rends bien compte que cet homme, c'est notre seul espoir. Si tu vas lui dire qu'il faut qu'il épouse deux personnes à la fois, il ne voudra plus.

HONORINE.

Si tu parles, c'est terminé, c'est fini.

CLAUDINE.

Et d'abord, pourquoi lui dire? Tu n'es même pas absolument sûre que c'est vrai.

HONORINE.

Mais naturellement, qu'elle n'en est pas sûre!

FANNY.

Le docteur Venelle me l'a dit.

HONORINE.

Mais il est gâteux, le docteur Venelle ! Il a soixante ans !

CLAUDINE.

C'est peut-être nerveux, ce que tu as !

HONORINE.

Mais oui, c'est les nerfs ! Ou alors, c'est un air qui passe... Une espèce de grippe... Ne te fais pas une montagne d'une chose qui n'est peut-être pas vraie !

FANNY.

Alors, si ce n'est pas ça, je ne suis pas forcée de me marier.

HONORINE.

Mais il n'y a pas besoin d'être enceinte pour se marier ! Il y a de véritables jeunes filles qui se marient ! Prends Panisse, puisqu'il se présente, et ne lui dis rien.

FANNY.

Non, maman, ce serait malhonnête, ce serait un mensonge abominable !

HONORINE.

Mais tu n'auras pas besoin de mentir ! Il ne te demandera jamais rien ! Ah ! Si tu connaissais la vanité des hommes et surtout sous ce rapport ! Il trouvera tout naturel d'avoir un bel enfant après six ou sept mois de mariage !

CLAUDINE.

Oh ! ça, sûrement ! Et il ne sera pas le premier ! Et puis,

ACTE PREMIER

Fanny, réfléchis un peu, Panisse, c'est un homme très bon, n'est-ce pas?

FANNY.

Oui.

CLAUDINE.

Il faudrait que tu n'aies guère de cœur pour le priver d'une grande joie. La joie d'être père. Il le mérite bien, va.

FANNY.

Et moi, qu'est-ce que je penserais de lui pendant ce temps? qu'est-ce que je penserais de moi? Non, non. Je ne veux pas être malhonnête à ce point.

HONORINE.

Une femme n'est jamais malhonnête avec un homme. Si nous sommes dans cette misère, c'est à un homme que nous le devons. Eh bien, faisons payer la faute par un homme.

FANNY.

Ce n'est pas le même!

HONORINE.

Allons donc! C'est toujours le même! Ils sont tous pareils! Et d'ailleurs, celui-là, s'il veut t'épouser, c'est parce que tu es jeune et jolie. Ne le prends pas pour un saint. Est-ce que ça ne vaut pas quelque chose, ça?

FANNY *(violemment)*.

Non, non, j'ai commis une faute grave, je le sais. J'ai gâché ma vie. Tant pis pour moi. C'est moi que ça regarde. C'est à moi de me débrouiller. Alors, parce que Panisse est bon, parce qu'il m'aime, j'irais mettre un bâtard chez lui? Et tu veux que je lui vole son nom pour l'enfant d'un autre? Mais c'est ça qui serait un crime! Si je faisais une chose pareille, je n'oserais plus regarder personne dans les yeux, je me croirais la dernière des dernières, je serais une vraie fille des rues! Et c'est vous qui me proposez ça?

HONORINE *(scandalisée)*.

C'est ça! Donne-nous des leçons de morale à présent! Tu n'as pas tant fait de chichis quand tu menais ton gigolo dans ta chambre de jeune fille, sous les yeux du portrait de ta grand-mère! Et de mentir à ta mère, ça ne te faisait rien! Va, tu es une ingrate, tu es une méchante fille, tu es...

CLAUDINE.

Tais-toi, Norine. Nous n'allons pas recommencer la comédie. Tout ça est horriblement tragique, mais on peut manger quand même. Fanny, assieds-toi là.

FANNY.

Je n'ai pas faim.

HONORINE.

Après ce que tu nous as dit tout à l'heure?

FANNY.

Je mangerai plus tard. Il faut que j'aille remplacer Fortunette. Elle est à l'éventaire depuis ce matin. J'y vais.

(Elle sort.)

HONORINE.

Fanny!

(Fanny ne répond pas.)

Scène VII

HONORINE, CLAUDINE.

HONORINE.

Et où elle va?

CLAUDINE *(à table servant la soupe)*.
Où elle t'a dit.

HONORINE.

Quand on n'a pas d'enfants, on est jaloux de ceux qui en ont et quand on en a, ils vous font devenir chèvre! La Sainte Vierge, peuchère, elle n'en a eu qu'un et regarde un peu les ennuis qu'il lui a faits!

CLAUDINE.

Et encore, c'était un garçon!

HONORINE.

Elle est pas allée se noyer, au moins!

CLAUDINE.

Non. Si elle voulait le faire, son petit la retiendrait. *(Elle commence à manger.)* Assieds-toi, Norine! *(Honorine s'assoit et prend une cuillère.)* Dis, Norine, les petits bâtards, ils sont moins jolis que les autres?

HONORINE.

Non, au contraire, souvent ils sont plus forts, et plus intelligents, et même, ça s'appelle les enfants de l'amour.

CLAUDINE *(Elle mange sa soupe).*
Et alors, de quoi tu te plains ?

RIDEAU

FIN DE L'ACTE PREMIER

ACTE DEUXIÈME

LES VOILES

Le décor représente le magasin de Panisse, maître voilier. Le magasin est très long et très étroit.

Au plafond, les grosses poutres en bois, rondes, très apparentes.

Au fond, la porte, entre deux vitrines. Les vitrines sont cachées par des rideaux de toile à voile, à cause du soleil.

A droite, perpendiculairement à la rampe, un comptoir en bois. Il est très long, très large, et très vieux.

Au fond, au bout du comptoir, il y a la caisse, qui est beaucoup plus haute.

Derrière le comptoir, il y a des étagères, chargées de coupons de toile à voile, de toutes les nuances de blanc et de crème.

Au fond, à gauche, sur un socle, un modèle de goélette, toutes voiles dehors et un scaphandre.

Contre le mur de gauche, une haute vitrine, qui contient de nombreux petits modèles de bateaux à voiles.

Dans les coins, des ancres de toutes les dimensions, des chaînes en fer et en cuivre — et dans un coin, pareil à une botte d'asperges, un fagot de vergues.

Au premier plan, à droite, un énorme gouvernail en bois, très ancien.

ACTE DEUXIÈME

Scène I

PANISSE, LE CHAUFFEUR.

Quand le rideau se lève, maître Panisse est assis sur le comptoir et il mange paisiblement, son assiette à la main.
Autour de lui, sur le comptoir, des assiettes sales, une miche, une bouteille de vin, un verre, une salière.
Un temps. Panisse mange. Sur la porte, le chauffeur, assis à terre, mange le pain et le fromage que lui a donnés Honorine.
A la machine à coudre, une ouvrière coud une voile.

PANISSE *(à bouche pleine).*
O galavard, qu'est-ce que tu manges?

LE CHAUFFEUR.
C'est un morceau de pain et un bout de fromage que Mme Honorine vient de me donner.

PANISSE.
Tu es bien poli aujourd'hui, que tu dis « Madame Honorine ».

LE CHAUFFEUR.
Oh! mais dites, c'est qu'aujourd'hui, elle m'a donné à manger!

FANNY

PANISSE.

Alors, si je ne te donne rien, tu ne m'appelleras jamais Monsieur Panisse?

LE CHAUFFEUR.

Vous n'avez pas besoin de rien me donner. Vous, je vous dis toujours M. Panisse, même quand vous n'êtes pas là.

PANISSE *(flatté).*

Et pourquoi?

LE CHAUFFEUR *(respectueux).*

Parce que vous avez le gros ventre.

PANISSE.

O, dis, Marrias, j'ai le gros ventre, moi? *(Il descend du comptoir, rentre son ventre.)* Regarde un peu si j'ai le gros ventre, ô myope!

LE CHAUFFEUR.

O, allez, il est gros. Vous avez beau le rentrer, mais quand même il est gros. Allez, vaï, donnez-moi quelque chose à manger.

PANISSE.

Tiens, il reste de la salade de poivrons, si tu la veux, prends-la.

LE CHAUFFEUR *(au comble de la joie).*

O coquin de sort! des poivrons! Merci, Monsieur Panisse!

(Entre M. Brun. Panisse va vers lui.)

PANISSE
(en passant, à la commise, il montre les assiettes éparses).
Té, petite, arrange un peu ça.

ACTE DEUXIÈME

Scène II

PANISSE, M. BRUN.

PANISSE.

Alors, monsieur Brun, vous l'avez bien vu, ce bateau?

M. BRUN.

Eh oui! Je viens de l'examiner à fond.

PANISSE.

Et alors?

M. BRUN.

Pour le prix, il me paraît très bien.

PANISSE.

Je comprends, dites, qu'il est bien!... C'est un véritable lévrier des mers!

M. BRUN *(perplexe).*

Le moteur me paraît bien petit.

PANISSE.

Mais c'est bien ce qu'on vous a dit : ce n'est pas un canot à moteur : c'est un bateau à voiles avec un moteur auxiliaire. Alors, vous l'avez acheté?

M. BRUN.

Eh oui. J'ai donné 300 francs d'arrhes.

PANISSE.

Alors, je vous fais le jeu de voiles complet, comme convenu.

M. BRUN.

Naturellement.

PANISSE.

Voilà la maquette. *(Il va prendre un petit canot et le met sur le comptoir.)* Tout simple, un joli foc, et une voile latine. *(Il regarde le numéro de la maquette.)* N° 24 — et ici, j'ai les mesures du bateau. *(Il prend un coupon derrière lui, et en déplie un mètre.)* Et voilà la toile que je vous ai choisie. Touchez-moi ça, monsieur Brun, ça a du corps, c'est léger, c'est solide, et ça ne mouille pas dans l'eau. Et regardez-moi le grain.

(Il pose sur la toile un petit appareil en cuivre à deux loupes. M. Brun applique son œil sur la première loupe.)

M. BRUN.

Oui, ça me paraît bien, mais c'est un peu raide, vous ne trouvez pas?

PANISSE.

Écoutez, monsieur Brun : c'est une voile, que vous voulez ou bien un pantalon pour madame? Si c'est pour un pantalon, ne prenez pas ça. Mais pour une voilure, je vous le conseille : une voile, ça supporte de l'épaisseur. Et puis, cette toile, ça va vous faire des voiles qui vont claquer dans le vent : chaque fois que vous changerez de bord, vous allez entendre s'envoler toute une compagnie de perdreaux. *(Il imite le bruit d'une compagnie de perdreaux « Frr... Frr... »)*. C'est poétique.

M. BRUN.

Oui, c'est poétique. Mais qu'est-ce que ça va me coûter, pour une voilure complète?

PANISSE.

Mille francs.

ACTE DEUXIÈME

M. BRUN.

C'est poétique, mais c'est cher.

PANISSE.

Un tout petit, mais tout petit billet de mille francs. Le plus petit billet de mille francs possible.

M. BRUN.

Qu'est-ce que c'est, le plus petit billet de mille francs possible?

PANISSE.

Je veux dire que comparé à une voilure, c'est si petit un billet de mille francs, monsieur Brun! Plié en quatre, c'est rien du tout! Pensez que pour ce petit bout de papier, je vous fais tout ça! Réellement, c'est un cadeau entre amis.

M. BRUN.

Un cadeau, pas précisément. Mais enfin, tout de même...

(Il palpe la toile, il réfléchit. Entre César, dans son costume de ville.)

Scène III

PANISSE, CÉSAR, M. BRUN.

PANISSE *(un peu ennuyé).*

Té, bonjour, César!

CÉSAR.

Bonjour, messieurs!

FANNY

M. BRUN.

Bonjour, César !

CÉSAR.

Vous achetez des voiles, monsieur Brun ?

M. BRUN.

Je fais choix d'une voilure pour mon bateau.

CÉSAR.

Vous avez acheté un bateau ?

M. BRUN.

Je viens d'acheter le *Pitalugue,* sur les conseils de maître Panisse.

CÉSAR *(stupéfait).*

Le Pitalugue? Le grand canot blanc ?

M. BRUN.

Oui. Vous le connaissez ?

CÉSAR.

Vous pensez si je le connais ! Mais tout le monde le connaît, ici. C'est l'ancien bateau du Docteur Bourde. Depuis, il a eu au moins quinze propriétaires !

PANISSE
(Il fait signe à César de se taire).

Allons, César, allons !

M. BRUN.

Ah ! C'est curieux.

CÉSAR *(goguenard).*

Oui, c'est curieux. Mais le bateau lui-même est encore plus curieux.

ACTE DEUXIÈME

M. BRUN.

Et pourquoi?

CÉSAR *(à Panisse)*.

Comment, tu ne l'as pas averti?

M. BRUN.

Mais de quoi? *(César rit.)*

PANISSE *(gêné)*.

Écoutez, monsieur Brun. J'ai peut-être oublié de vous dire qu'il est un peu jaloux.

M. BRUN.

César est jaloux?

PANISSE.

Non, le bateau est jaloux. Ça veut dire qu'il penche assez facilement sur le côté, vous comprenez?

M. BRUN *(inquiet)*.

Et il penche... fortement?

PANISSE *(confiant)*.

Non, monsieur Brun. Non.

CÉSAR.

C'est-à-dire que quand on monte dessus, il chavire, mais il ne fait pas le tour complet, non! Dès qu'il a la quille en l'air, il ne bouge plus. Il faut même une grue pour le retourner du bon côté!

M. BRUN.

Oh! mais dites donc! Et ça lui arrive souvent?

PANISSE.

Mais non, monsieur Brun. Mais non !

CÉSAR.

C'est-à-dire que ce bateau est célèbre pour ça depuis ici jusqu'à la Madrague et qu'on l'appelle *Le Sous-Marin.*

M. BRUN.

Allons, César, vous plaisantez !

PANISSE.

Mais certainement, qu'il plaisante ! Il est certain que ce bateau a chaviré, quelquefois, parce qu'il n'était pas lesté comme il faut — et puis, il faut savoir s'en servir, parce que c'est un fait qu'il est jaloux.

M. BRUN *(perplexe).*

C'est curieux, parce qu'il n'en a pas l'air.

CÉSAR.

Oh ! non, il n'en a pas l'air, mais c'est un petit cachottier.

M. BRUN *(à César).*

Alors, vous prétendez que dès que je mettrai le pied dessus, ce bateau va chavirer ?

CÉSAR.

C'est probable, mais ce n'est pas sûr. Après tout, il a tellement chaviré, que peut-être maintenant il en est dégoûté. Il ne voudra plus, té.

M. BRUN.

Quelle blague ! Et pourquoi chavirerait-il systématiquement ?

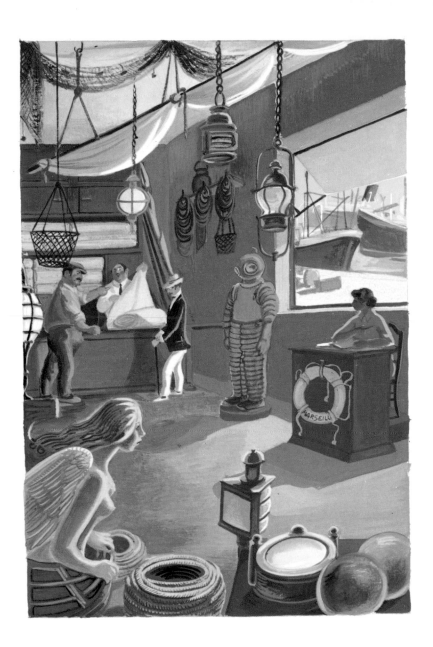

ACTE DEUXIÈME

CÉSAR *(sérieux)*.

Parce qu'il a une hélice trop grosse pour lui; elle prend trop d'eau. Alors, si vous forcez la vitesse, au lieu que ça soit l'hélice qui tourne, c'est le bateau — et alors, il se dévire.

PANISSE *(furieux)*.

Mon cher César, tes plaisanteries sont ridicules. Ce bateau-là, monsieur Brun ne l'a pas fait faire sur commande; et il ne l'a pas payé au prix d'un canot inchavirable. Il l'a payé 1 500 francs; c'est une occasion!

M. BRUN *(à César)*.

Vous ne trouvez pas qu'à ce prix-là, même avec ses défauts, c'est une belle occasion?

CÉSAR.

Oh! oui! C'est une belle occasion de se noyer.

M. BRUN *(direct)*.

Voyons, Panisse, vous connaissez fort bien ce bateau, et c'est vous qui me l'avez fait acheter. Franchement, est-ce que ce bateau chavire?

PANISSE *(philosophique)*.

Mais mon cher monsieur Brun, les royaumes chavirent, les jolies femmes chavirent et nous finirons tous par chavirer au cimetière! Tout chavire dans la nature et naturellement, surtout les bateaux.

CÉSAR.

Et surtout celui-là.

PANISSE.

Vous garantir que le *Pitalugue* ne chavirera jamais, je ne le peux pas.

CÉSAR *(joyeux)*.

Oh ! que non !

PANISSE.

Ce sont les risques de la navigation. Si vous voulez aller sur la mer, sans aucun risque de chavirer, alors, n'achetez pas un bateau : achetez une île !

CÉSAR.

C'est ça, achetez le château d'If et Panisse vous fera les voiles !... Monsieur Brun, capitaine du *Sous-Marin !* Ah ! on vous a bien embarqué, monsieur Brun !

M. BRUN *(piqué)*.

Mon cher César, depuis un quart d'heure, vous essayez de me mettre en boîte. Eh bien, permettez-moi de vous dire que ça ne prend pas.

PANISSE.

Bravo !

M. BRUN *(qui se monte)*.

D'ailleurs, pour couper court à toutes ces galéjades, je vais l'essayer immédiatement, et m'en vais le sortir du port.

PANISSE *(inquiet)*.

Mais non, monsieur Brun, ce n'est pas la peine ! D'abord, vous ne pouvez pas, vous êtes tout seul !

M. BRUN

J'irai avec le petit chauffeur. *(au chauffeur.)* Dis donc, phénomène, veux-tu venir avec moi essayer le *Pitalugue ?*

LE CHAUFFEUR.

Oui, mais après ce que M. César vient de dire, vous comprenez que ce sera cinq francs.

ACTE DEUXIÈME

M. BRUN.

Soit. Ce sera cinq francs. Et vous, Panisse, vous nous accompagnez?

PANISSE *(très gêné)*.

Je voudrais bien, mais je ne peux pas.

CÉSAR.

Pas si bête !

PANISSE.

Ce serait avec le plus grand plaisir, mais je ne peux pas quitter le magasin. Nous travaillons, ici. Tenez, monsieur Brun, emportez tout de même une bouée. Je sais bien que vous ne vous en servirez pas, mais ça ne peut pas vous faire du mal.

M. BRUN.

Au fait, oui.

(Il prend la bouée.)

PANISSE.

Et je donne immédiatement des ordres à l'atelier pour couper les voiles.

M. BRUN.

Non, non. Attendez donc le résultat de l'expérience.

CÉSAR.

Oui, attendons le résultat.

M. BRUN *(à César)*.

Je suis d'ailleurs bien tranquille, car je sais ce que c'est qu'un bateau, je suis un connaisseur de bateaux.

CÉSAR.

Vous en avez tout l'air.

M. BRUN.

J'ai vu ce bateau-là, je l'ai examiné, je l'ai jugé. D'après sa ligne, sa coupe, son gabarit, ce bateau-là ne peut pas chavirer, il ne chavirera pas. Et pourtant, je vais faire tout mon possible pour le faire chavirer.

CÉSAR.

Allez, monsieur Brun, ne forcez pas votre possible. Ça se fera tout seul. Vous savez nager?

M. BRUN.

Mon cher César, je suis heureux de vous donner une preuve de la confiance que j'ai dans ce bateau. Je ne sais pas nager du tout.

CÉSAR.

Alors, adieu, monsieur Brun.

M. BRUN.

Comment, adieu?

CÉSAR.

Nous nous reverrons au ciel.

(M. Brun hausse les épaules.)

M. BRUN *(au chauffeur).*

A nous deux!

(Ils sortent.)

ACTE DEUXIÈME

Scène IV

PANISSE, CÉSAR.

PANISSE *(furieux)*.

Et voilà comme tu es ! Avec tes racontars et tes calomnies, tu me fais perdre une occasion de lui vendre une voilure complète !

CÉSAR.

Oh ! toi, pour vendre six mètres de toile, tu ferais noyer n'importe qui. Tu es un assassin, Panisse, un véritable assassin.

PANISSE.

En tout cas, grâce à toi, voilà mille francs que j'ai ratés.

CÉSAR.

Si le bateau ne chavire pas, tu les retrouveras.

PANISSE.

Oui, mais tu le sais aussi bien que moi qu'il va chavirer !... Tu avais bien besoin de venir maintenant, avec ta canne et ton joli chapeau !

CÉSAR.

J'ai ma canne et mon joli chapeau parce que je viens de faire des courses. Et je suis ici parce que j'ai à te parler très sérieusement.

PANISSE.

Eh bien, tu aurais pu me parler sans épouvanter la clientèle.

CÉSAR.

La clientèle est en train de se noyer par ta faute.

FANNY

PANISSE.

Se noyer! Allons donc! Se noyer!... Et qu'est-ce que c'est que tu veux me dire?

(Le facteur passe devant le magasin. Il ouvre la porte et se penche.)

LE FACTEUR *(Il tend un paquet)*.

Maître Panisse!

(Panisse va vers lui, prend le courrier, le facteur voit César.)

LE FACTEUR.

Tiens, vous êtes là, monsieur César? J'ai une lettre pour vous. Ça vient de Macassar.

CÉSAR.

Donnez...

(Il prend la lettre et la regarde avec émotion.)

PANISSE.

C'est de Marius?

(César ne répond pas.)

CÉSAR.

Écoute, ce que je voulais te dire, je reviendrai te le dire tout à l'heure. Je vais d'abord chez moi, lire la lettre de mon fils.

PANISSE.

Ce que tu voulais me dire, ça a un rapport avec ton fils?

CÉSAR.

Oui.

PANISSE.

Bon. Mais tu ne peux pas lire cette lettre ici?

CÉSAR.

Non. Non. J'aime mieux être seul.

PANISSE.

Mais si tu veux, tu n'as qu'à aller à la salle à manger.

CÉSAR.

Non. Non. Une lettre du petit, ça doit se lire à la maison.

PANISSE.

Bon.

CÉSAR.

Alors, à tout à l'heure.

PANISSE.

A tout à l'heure.

(César sort. Panisse va derrière son comptoir mesurer ses coupons.)

Scène V

PANISSE, ESCARTEFIGUE, LA COMMISE.

(Panisse est derrière son comptoir. Dehors, passe Escartefigue. Il se penche dans la porte entr'ouverte.)

ESCARTEFIGUE.

Adieu, Panisse !

PANISSE.

Adieu, Félix, où tu vas?

ESCARTEFIGUE.

Je vais vite m'installer à la terrasse chez César, pour jouir du coup d'œil.

PANISSE.

Qué coup d'œil?

ESCARTEFIGUE.

M. Brun a acheté le *Sous-marin...* Il va l'essayer et il y a beaucoup d'espoir qu'il soit noyé.

PANISSE.

Fais attention qu'il a emmené ton chauffeur!

ESCARTEFIGUE.

Oh! lui, il sait nager! J'espère bien qu'il va tomber à l'eau, parce que je le verrais au moins une fois avec la figure propre, et ça me ferait plaisir de faire sa connaissance!

PANISSE.

Méfie-toi que peut-être tu ne le reconnaîtras plus!

ESCARTEFIGUE *(regarde du côté du port).*

Té, les voilà qui partent! M. Brun a déjà mis la ceinture de sauvetage!

PANISSE.

Oh! comme il a bien fait!

(Le téléphone sonne. Panisse va au téléphone.)

ACTE DEUXIÈME

PANISSE.

Allo, oui, oui. Je vous l'envoie tout de suite. *(à la commise.)* Dis, petite, on demande le foc à l'atelier. Tu es prête ?

LA COMMISE.

Oui, maître Panisse.

PANISSE.

Porte-le tout de suite et dis-leur que pour les voiles de M. Brun, ce n'est pas la peine de commencer. J'ai l'impression que c'est foutu.

LA COMMISE.

Bien, maître Panisse.

(Elle sort jusqu'à la porte de la rue.)

PANISSE *(Il crie).*

Et dis-leur qu'ils se dépêchent pour la grand voile de l'Espagnol. Je l'ai promise pour demain matin.

Scène VI

PANISSE, FANNY, CÉSAR.

PANISSE.

Bonjour, ma belle !

FANNY.

Bonjour, maître Panisse !

(Elle reste sur la porte, toute pâle.)

FANNY

PANISSE.

Mais entre donc, voyons !

FANNY.

Dites, Panisse, est-ce que je puis vous parler ?

PANISSE.

Mais naturellement que tu peux me parler !

FANNY.

J'ai quelque chose d'extrêmement grave à vous dire.
Mais ne restons pas ici, nous serons sûrement dérangés...

PANISSE.

Attends. C'est bien facile. *(Il va fermer la porte et en
retire le bec de cane. Puis il baisse les stores des vitrines et
de la porte.)* Nous voilà en pleine tranquillité. Alors, tu as
quelque chose de grave à me dire ? Va, je me doute bien
de ce que c'est. Ta mère t'a dit que ce matin je t'ai rede-
mandée ?

FANNY.

Oui, elle me l'a dit.

PANISSE.

Et tu viens me porter ta réponse ?

FANNY.

Oui...

PANISSE.

Et tu as l'air tout ennuyée, et tu n'oses pas dire un seul
mot ; va, je sais bien pourquoi et je vais te faciliter la chose ;
tu viens me dire non encore une fois. Eh bien, tant pis, il
ne faut pas te faire du mauvais sang pour moi : si c'est non,

ACTE DEUXIÈME

c'est non, et puis, c'est non, té, voilà tout! Tant pis, que faire?

FANNY.

Vous vous trompez, Panisse. Je ne viens pas vous dire non.

PANISSE *(tremblant)*.

Est-ce que tu viens me dire oui?

FANNY.

Je viens vous dire que, si c'était encore possible, je dirais oui. Mais ce n'est plus possible.

PANISSE.

Et pourquoi?

FANNY.

Parce qu'il y a une chose grave que vous ignorez et quand vous saurez cette chose, c'est vous qui ne voudrez plus.

PANISSE.

Moi, je ne voudrais plus? Ça m'étonnerait. Dis un peu cette chose, pour voir?

FANNY.

Il me faut beaucoup de courage pour vous dire la vérité! Mais cette vérité, je vous la dois! Même si vous devez ensuite me mépriser.

PANISSE.

Te mépriser? Mais non, mais non. Et d'abord, cette chose-là, je la sais déjà. Et même plusieurs personnes la savent. Deux fois, on a vu Marius sortir de chez toi à la petite pointe du jour. Eh bien, quoi? Et après? Si quelqu'un venait me dire : « Maître Panisse, vous avez épousé une jeune fille que vous n'avez pas été le premier », je lui répondrais : « Eh bien, dites donc, et moi, est-ce que j'étais vierge ? » Non, n'est-ce pas ? Alors ?... Et ceux qui épousent des veuves, ou des divorcées ? Qu'est-ce que ça peut faire, ça, après tout ?... Pour moi, c'est tout le contraire, ça ne me fâche pas, et je vais t'expliquer pourquoi : quand un monsieur de mon âge épouse une fillette comme toi, ce n'est pas très joli, parce que ce n'est pas juste. Elle, elle va lui apporter la jeunesse et la beauté ; elle s'amène toute fraîche et toute neuve. Et lui, qu'est-ce qu'il offre en échange ? Un intérieur, une situation sociale, une affection et une moustache grise — je veux dire, grisonnante. Eh bien, ce n'est pas une affaire très honnête. Mais du moment que la jeune fille a eu, pour ainsi dire, un amant, eh bien, ça rétablit un peu l'équilibre et je peux me marier avec toi sans perdre ma propre estime. Je me garde toute ma sympathie... ma sympathie qui m'est personnelle et que j'y tiens énormément... Voilà ma façon de penser...

FANNY.

Vous êtes bon, Panisse, mais il y a autre chose : quelque chose de plus terrible, quelque chose qui ne peut pas s'effacer... *(un temps.)*

PANISSE.

Bon, ça te gêne de parler. Mais moi, je vais parler pour toi. Parce que je comprends ce que tu veux dire : il y a, que tu penses toujours à lui et que par délicatesse, tu tiens à m'avertir et à me le répéter. Eh bien, répète-le-moi tant que tu voudras. Après tout, ce n'est pas de ta faute et ce n'est pas de la mienne. Je te réponds que d'ici deux ans, tu seras une femme différente, que s'il revient, nous l'inviterons à la maison et que tu seras étonnée de voir qu'il n'est pour toi qu'un étranger.

ACTE DEUXIÈME

FANNY.

C'est vrai, je pense encore à lui; mais il y a encore quelque chose de plus grave... une conséquence irréparable...

PANISSE.

Et quoi?

FANNY.

Ne me forcez pas à le dire. Tâchez de comprendre...

PANISSE *(plein de bonne volonté).*

Eh bien, tu vois, je tâche, j'essaye, je cherche...

FANNY *(Elle se lève).*

Non, vous ne cherchez pas, vous avez compris, je le vois. Vous prenez l'air de celui qui ne veut pas comprendre, parce que je vous fais horreur, comme à tout le monde. Je le savais... Et si je suis venue ici, ce soir, c'est à cause de ma mère...

PANISSE *(perplexe).*

Qu'est-ce que je fais semblant de ne pas comprendre?

FANNY.

Allez, vous avez raison, Panisse, ne me prenez pas! Je suis une fille perdue, perdue... Et je n'ai même plus le droit de me tuer. *(Il s'approche d'elle — et sans le vouloir, il parle en provençal. Elle sanglote. Il est en proie à une grande émotion.)*

PANISSE *(à voix basse).*

Es un pitchoun, Fanny? Digo mi, Fanny, es un pitchoun? *(Elle dit « Oui » d'un signe de tête.)* Tu en es sûre? C'est le docteur qui te l'a dit? *(même jeu.)* C'est donc pour ça que tu étais malade!

157

FANNY

(Fanny dit « oui » d'un signe de tête.)

FANNY.

Ne me méprisez pas trop, Panisse. Vous m'avez demandée ce matin, je n'avais qu'à vous dire « oui », mais j'ai voulu vous avertir. Je serais bien heureuse maintenant, si je devenais votre femme. Mais j'ai un petit enfant qui me mange le ventre. Il veut naître, et il naîtra.

PANISSE.

Et tu accepterais quand même de m'épouser?

FANNY.

J'accepterais d'être votre servante, je vous obéirais comme un chien. Et j'aurais tant de reconnaissance pour vous que je finirais peut-être par vous aimer!

PANISSE.

Mais ce petit, tu me le donnerais? Il serait mien? Il aurait mon nom?

FANNY.

C'est la seule chose que je vous demande.

PANISSE *(en extase).*

O bonne Mère!

FANNY.

Vous me voulez quand même? C'est vrai?

PANISSE.

Écoute, Fanny. Tu n'as jamais remarqué mon enseigne? Il y a : « Honoré Panisse » et en dessous « Maître voilier ». Est-ce que tu as remarqué que les lettres sont un peu trop serrées sur la gauche et qu'il reste au bout, comme un

158

espace vide?... Eh bien, regarde ça! *(Il est allé derrière le comptoir et il ouvre un tiroir fermé à clef.)* Regarde. *(De ce tiroir, il sort de grandes lettres d'enseigne, jadis dorées.)* « Ça, c'est « et ». Ça, c'est « leu ». *(Il place les lettres sur une planche.)* Ça, c'est « i », ça c'est « feu ». Ça, c'est « seu ». *(Il les a placées dans leur ordre, et il lit.)* Et fils. Il y a trente ans qu'elles sont dans ce tiroir, et je n'ai jamais pu les sortir. *(Un grand temps. Panisse gesticule sans rien dire. Fanny se tait.)* Attends, Fanny. Un peu de précision. Est-ce que tu as dit ton secret à quelqu'un?

FANNY.

Le docteur le sait.

PANISSE.

Bon. Mais lui ne pourra rien dire, puisqu'il est docteur. Et ensuite?

FANNY.

Il y a ma mère et ma tante Claudine.

PANISSE.

Celles-là ne diront rien à personne, à cause de l'honneur de la famille. Il n'y a personne d'autre qui le sache?

FANNY.

Non, personne.

PANISSE.

Bon. Et maintenant, quand est-ce qu'il va naître, MON petit?

FANNY.

Au mois de février, ou au mois de mars.

FANNY

PANISSE *(joyeux)*.

Mais ça tombe très bien. Ce sera donc un enfant de sept mois. Et alors, à quand la noce?

FANNY.

Quand vous voudrez.

PANISSE.

Le plus tôt possible, à cause de l'enfant. Si on faisait ça dans la quinzaine?

FANNY.

Vous dites bien la vérité, Panisse? Avez-vous bien réfléchi avant de dire oui? Vous allez sauver ce petit bâtard?

PANISSE.

Fanny, puisque nous sommes d'accord, je vais te dire tout, et tu comprendras que je ne fais pas un sacrifice. Lorsque j'ai épousé ma pauvre Félicité, elle avait ton âge, et moi j'en avais guère plus. Nous avions acheté ce magasin en monnaie de papier, tu comprends? En signant des traites à l'avance. Oh! pas cher, bien sûr, à ce moment-là, le magasin ne valait pas grand'chose. Nous, nous avons eu d'abord une ouvrière, puis deux, puis cinq, puis dix, et comme ça jusqu'à trente. Et l'argent rentrait bien. Et alors, au bout de sept ans, un beau soir, j'ai dit à ma femme : « O Félicité, tu vois comme notre magasin est beau?... »

— Oui, il est beau.

— Le commerce va très bien.

— Oui, il va très bien.

— Eh bien, écoute, Félicité, l'argent et le magasin, nous ne l'emporterons pas sous la terre.

— Bien sûr, qu'elle me dit.

— Et si nous faisions un petit?

Alors, elle devient toute rouge, peuchère, et elle se

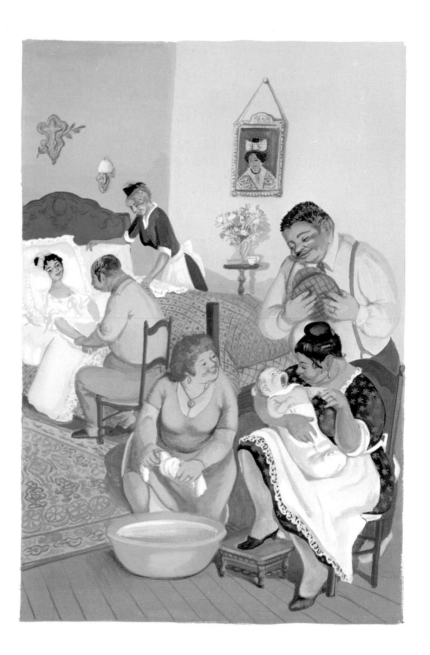

cache un peu la figure, et elle me fait : « Honoré, il y a longtemps que j'y pense, mais je n'osais pas t'en parler... » Mais alors, baste ! Ma pauvre Fanny, impossible de faire un enfant. Je ne te dirai pas tous les docteurs qu'on a vus, toutes les sources minérales, tous les cierges, tous les pèlerinages, toutes les gymnastiques suédoises... et je gaze, naturellement, je gaze... Mais voilà la vérité : pendant longtemps nous avions eu peur d'avoir un petit; et puis, quand nous l'avons voulu, nous ne l'avons pas eu : nous avions dégoûté le bon Dieu. *(un temps.)* Alors, une véritable folie m'a pris : la folie des enfants. Depuis ce moment-là, chaque fois que j'ai vu, dans la rue, un grand couillon avec un panama qui pousse une petite voiture, tu ne peux pas t'imaginer comme j'ai été jaloux. J'aurais voulu être à sa place, avoir cet air bête et ces gestes ridicules... J'aurais voulu faire : « Ainsi font, font, font... » C'était une grande souffrance... Et Félicité, je la regardais de travers — et pour la moindre des choses, nous nous disputions. Surtout à table. Je lui disais : « C'est bien la peine d'avoir un estomac comme deux monuments, et de ne pas pouvoir faire un enfant ». Et alors, elle me répondait : « Si tu n'avais pas tant bu de Picons et de Rinçolettes, peut-être tu serais bon à quelque chose. » Et enfin, petit à petit, nous nous sommes habitués à ce désespoir. Mais le magasin ne nous intéressait plus du tout. Nous n'avons vendu que l'article courant. Je n'ai plus pris la peine de dessiner des voiles spéciales, selon la personnalité et le tempérament de chaque bateau, des voiles merveilleuses, des voiles signées de mon nom, comme des peintures de musée... Et alors, pendant que je jouais aux cartes, dans les cafés, comme un imbécile, les autres en ont profité. Certains MM. Renault, Dion-Bouton, Peugeot et tutti quanti se sont mis à faire des moteurs; et voilà pourquoi notre beau vieux port est tout empuanti de pétrole : c'est parce que Félicité était stérile. Tout simplement. Et voilà pourquoi ce magasin ne travaille plus comme autrefois; c'est parce que je n'avais personne à nourrir. Mais main-

FANNY

tenant, Sainte-Bonne Mère, ça change tout... Une femme et un petit, à moi?...

FANNY.

Ah! vous êtes bon, je vous remercie. Mais pensez-y encore deux jours avant de me donner votre réponse.

PANISSE.

Et pourquoi? Tu recules déjà? *(inquiet.)* Tu attends une lettre de Marius?

FANNY.

Je n'attends plus rien de personne, sauf de vous. Mais je ne voudrais pas que vous engagiez votre parole sur un mouvement de pitié.

PANISSE.

Pitié? Qué pitié? Alors, tu n'as pas compris ce que je t'ai dit? Fanny, je te jure que jamais un homme n'a fait une action aussi égoïste que moi en ce moment. JE ME FAIS PLAISIR, voilà la vérité. Ses enfants, bien entendu, il vaut mieux se les faire soi-même; mais quand on attrape la cinquantaine, qu'on n'est pas bien sûr de réussir, et qu'on en trouve un tout fait, eh bien, on se le prend sans avertir les populations. Je ne te pose qu'une condition, Fanny: c'est que tu ne dises à personne, même pas à ta mère, que tu me l'as dit. Comme ça, je pourrais prendre l'air que cet enfant est à moi devant tout le monde. Tu ne le diras pas?

FANNY.

Je ne dirai rien.

(On frappe à la porte du magasin et on entend la voix de César.)

162

ACTE DEUXIÈME

CÉSAR.

Oou, Panisse ! C'est comme ça que tu m'attends ?

PANISSE.

Vouei, j'arrive.

FANNY *(effrayée)*.

César ! je ne veux pas le voir...

PANISSE.

Tiens, passe dans la salle à manger, qui sera bientôt la tienne... Va faire connaissance avec notre grande pendule, et le beau buffet de mon père... *(César frappe à la porte avec violence. Panisse s'interrompt pour lui crier.)* «Vouei ! J'arrive». Mais fais bien attention, moi, je ne sais rien... tu ne m'as rien dit. Je vais ouvrir à cette grosse brute, qu'il va me ruiner la devanture !

(Fanny sort, Panisse va ouvrir.)

Scène VII

PANISSE, CÉSAR.

PANISSE.

Oou ! Ne casse pas les vitrines, sauvage !

CÉSAR.

Et pourquoi tu t'enfermes, comme ça ? C'est pour compter tes sous, vieux grigou ?

PANISSE.

Tout juste, vé – que si je les comptais devant toi, tu m'en volerais la moitié.

FANNY

CÉSAR.

Ou peut-être, c'est pour pincer le croupion à ta commise, qué, vieux chaspeur?

PANISSE *(digne)*.

Ce serait encore de mon âge si c'était dans mon caractère. Alors, tu viens pour me parler sérieusement?

CÉSAR.

Oui. Tu as cinq minutes?

PANISSE.

Tout l'après-midi si tu veux.

CÉSAR *(solennel)*.

Et d'abord, une grave nouvelle, une nouvelle sinistre. M. Brun vient de se noyer.

PANISSE.

Comment, comment? Noyé-mort, ou noyé mouillé?

CÉSAR.

Mouillé, noyé et mort.

PANISSE *(très inquiet)*.

César, mais qu'est-ce que tu me dis?

CÉSAR.

Je te dis que tu es un assassin.

PANISSE *(affolé)*.

Allons, ne plaisante pas avec ces choses-là...

CÉSAR.

Je ne plaisante pas. Vas-y voir, si tu en as le courage.

ACTE DEUXIÈME

Il est là-bas, étendu sur le quai... Par ta faute, pour mille francs !

PANISSE *(affolé)*.

Ce n'est pas possible ! Ça serait terrible...

(Il va s'élancer. César le retient.)

CÉSAR.

Attends. Il a encore quelque chose qui bat... Mais on ne sait pas si c'est son cœur, ou si c'est sa montre !

PANISSE.

Grand couillon que tu es ! J'en ai les jambes qui tremblent !

(Il s'assied, et essuie son front avec son mouchoir.)

CÉSAR.

Je te disais ça pour rigoler. Il a chaviré, ça c'est vrai, et il a bu un bon coup, mais ses douaniers l'ont repêché... Reste assis, Honoré, ne t'inquiète pas, et parlons sérieusement. Dis donc, je sais que, il y a quelque temps, tu avais demandé la main de Fanny à Honorine.

PANISSE.

Oui.

CÉSAR.

La petite t'avait dit non, à cause de Marius. Elle croyait que mon fils allait l'épouser tout de suite. Si je dis quelque chose qui n'est pas vrai, arrête-moi.

PANISSE.

Bon, ça va, continue.

165

FANNY

CÉSAR.

Là-dessus, mon fils est parti sur la mer. Il est parti pour longtemps.

PANISSE.

Oui. Et alors?

CÉSAR.

Alors, j'entends dire par-ci, par-là, et je le vois aussi par moi-même, car je n'ai pas les yeux dans ma poche et je connais bien le vieux lascar que tu es — j'entends répéter, dis-je et je vois, que tu continues — discrètement — à faire la cour à la petite — et tu m'as tout l'air d'avoir l'intention de la demander encore une fois. Qu'y a-t-il de vrai là-dedans?

PANISSE *(très calme).*

Pourquoi me demandes-tu ça?

CÉSAR.

Parce que ça m'intéresse beaucoup. C'est vrai, ou ce n'est pas vrai?

PANISSE.

César, quoique tu sois mon voisin et mon ami, je pourrais parfaitement te répondre que ça ne te regarde pas... et d'une!

CÉSAR.

Ça ne me regarde pas?

PANISSE.

Pas du tout! Oh! mais pas du tout. Seulement, comme ce que je fais est parfaitement honnête et que je n'ai rien à cacher, je préfère te le dire tout de suite : Oui, j'ai redemandé la main de la petite. Et cette fois, on ne me l'a pas refusée et nous allons fixer ce soir officiellement la date des noces.

CÉSAR.

Tu en es déjà là ?

PANISSE.

J'en suis même encore plus loin que ça, puisque je suis en mesure de fixer la date tout de suite. La chose aura lieu dans seize jours exactement : pas vendredi, l'autre, si tu veux des précisions.

CÉSAR.

Eh bien, Panisse, ce mariage ne se fera pas.

PANISSE.

Il ne se fera pas ?

CÉSAR.

Non.

PANISSE *(effrayé)*.

Pourquoi ? Ton fils revient ?

CÉSAR.

Malheureusement non. Mon fils ne reviendra que dans 26 mois, quand il aura fini l'océanographique. Mais ce mariage ne se fera pas, parce que je ne veux pas.

PANISSE.

Ah ! tiens ! Eh bien, tu es drôle, toi ! De quel droit tu ne veux pas ?

CÉSAR.

Du droit que Fanny, c'est la femme de Marius. Il ne l'a

pas épousée devant M. le Maire, mais ça, ce n'est qu'une formalité et nous la ferons quand il reviendra.

PANISSE.

Et si la petite ne veut pas attendre ?

CÉSAR.

Elle voudra, parce qu'elle l'aime.

PANISSE.

Elle voudra si bien, qu'elle vient de me dire « oui ».

CÉSAR.

Elle t'a dit « oui », à toi ?

PANISSE.

Parfaitement, à moi.

CÉSAR *(abasourdi).*

La petite elle-même t'a dit oui ?

PANISSE.

La petite elle-même m'a dit oui, parlant à ma personne.

CÉSAR *(abattu).*

Alors ça, je n'y comprends plus rien. Rien, rien. Ou plu-tôt, oui, je comprends très bien : tu l'as achetée à sa mère. Tu es allé voir cette vieille garce d'Honorine, et tu lui as promis une rente pour elle — et elle te l'a vendue, sa fille — vendue comme une petite négresse d'Afrique. Dis la vérité, — vieux négrier : c'est ça que tu as fait ?

PANISSE.

Voyons, César, est-ce que tu crois qu'on peut acheter une fille si cette fille ne veut pas ? Surtout Fanny, avec le caractère qu'elle a ! Voyons, rends-toi compte !

ACTE DEUXIÈME

CÉSAR.

Je me rends compte que sa mère à dû lui monter le coup, lui dire qu'elle était déshonorée, et qu'il lui fallait un mari tout de suite, et elle te la jette dans les bras.

PANISSE.

Mais non, pas du tout, pas du tout. C'est du roman.

CÉSAR.

Voyons, Honoré. Tu sais que ce mariage serait un scandale, une énormité, unc sinécure, une gabegie. Tu le sais bien que ce serait une gabegie.

PANISSE *(perplexe).*

Qu'est-ce que c'est une gabegie, d'après toi?

CÉSAR.

Ça veut dire quelque chose de criminel, de honteux, quelque chose qui ne va pas bien. Et d'ailleurs, je ne suis pas ici pour te donner des leçons de français, mais pour te rappeler à ton devoir. Si ces deux femmes sont folles, tu ne vas pas profiter de leur folie. Réponds-moi, Honoré. Est-ce que tu l'épouseras?

PANISSE.

Tout juste.

CÉSAR.

Et pourquoi?

PANISSE.

Parce que tel est mon bon plaisir.

CÉSAR.

O nom de Dieu !... *(Il se maîtrise).* — Écoute, Panisse, ne nous disputons pas. Soyons calmes, causons comme deux vieux amis. Je sens que nous sommes sur le point de crier comme deux marchands de brousses, et qu'à la fin, je t'étranglerai une fois de plus. Bien calmes, bien posément.

PANISSE.

Mais je veux bien, moi.

CÉSAR.

Eh bien, permets à ton vieil ami de te dire que ce que tu veux faire, ce n'est pas joli, joli.

PANISSE.

Qu'est-ce qui n'est pas joli, joli?

CÉSAR.

Qu'un homme vieux soit le mari d'une fillette. Ce n'est pas propre.

PANISSE.

J'y ai pensé.

CÉSAR *(avec un immense dégoût)*.

C'est tout à fait déplaisant. C'est une chose qui déplaît.

PANISSE *(souriant)*.

Moi, ça ne me déplaît pas.

CÉSAR.

Tu vois! Tu viens de montrer le fond de ton idée! Tu épouses Fanny parce qu'elle est jeune et que ça te ferait plaisir de frotter sa jolie peau fraîche contre ton vieux cuir de sanglier.

PANISSE.

Mais non, mais non, ce n'est pas que pour ça.

ACTE DEUXIÈME

CÉSAR.

Ce n'est pas que pour ça, mais c'est un peu pour ça, tu viens de le dire. Eh bien, tu me dégoûtes. Je suis dégoûté.

(Il regarde Panisse avec un immense dégoût.)

PANISSE *(souriant).*

Eh bien, c'est ton droit. Sois dégoûté ! Que veux-tu que j'y fasse ?

CÉSAR.

Je veux que tu ne me dégoûtes pas. Je veux que dans ces circonstances graves et familiales, tu te conduises comme un gentilhomme provençal et non pas comme le dernier des margoulins.

PANISSE.

Et si ça me plaît de me conduire comme le dernier des margoulins ?

CÉSAR.

Si tu refuses de suivre les conseils de ton vieil ami, alors, je serai dans l'obligation, le jour de la noce, de t'attendre devant l'église !

PANISSE.

A la sortie ?

CÉSAR.

Non. A la rentrée.

PANISSE.

Et qu'est-ce que tu me diras ?

FANNY

CÉSAR.

La première parole que je te dirai, ce sera un coup de marteau sur le crâne ! Et ensuite, je te saisis, je te secoue, je te piétine, et je te disperse aux quatre coins des Bouches-du-Rhône.

PANISSE.

C'est entendu. Moi, si tu me donnes le moindre coup de marteau, même avec un marteau d'horloger, je te fous deux coups de revolver et pas un revolver miniature : un rabattan.

(Il sort du comptoir un énorme revolver d'ordonnance.)

CÉSAR *(ahuri).*

Coquin de sort, il ne lui manque que deux roues pour faire un canon.

PANISSE *(qui se monte peu à peu).*

Écoute, César, il y a quarante ans que je te connais, et depuis quarante ans, tu te dis « mon vieil ami ». Mon vieil ami ! C'est mon vieil emmerdeur qu'il faudrait dire !

CÉSAR *(stupéfait).*

Quoi ?

PANISSE.

Depuis l'âge des chaussettes, tu m'empoisonnes, tu me tyrannises, tu me tortures, tu me supprimes ! A dix ans, tu m'empêchais de jouer aux jeux qui me plaisaient et tu me forçais de jouer aux tiens ! Pendant que je jouais aux billes avec d'autres et que je me régalais, toi, tu apparaissais tout d'un coup et tu criais : « Honoré, viens jouer à sèbe ! » Et j'y allais, comme un mouton... Et ça me dégoûtait, de jouer à sèbe. J'avais horreur de jouer à sèbe... J'en ai tant souffert de ces amusements forcés, que, même maintenant, quand je vois des enfants qui jouent à sèbe, je les disperse à coups de pied dans le cul.

CÉSAR *(ahuri).*

Mais qu'est-ce que c'est que cette histoire de sèbe? Est-ce que tu deviens fou?

PANISSE *(lancé).*

Dans la rue, tu me forçais à porter ton cartable. Quand tu attrapais deux cents lignes, en classe, tu venais jusque chez moi pour m'obliger à les faire à ta place – et toi, pendant ce temps, tu me mangeais mes berlingots. Tu m'en as tellement fait, de misères qu'à un moment donné, je les écrivais sur un petit carnet et je me disais : « Peut-être qu'en grandissant, un jour, je serai plus fort que lui – et alors, quelle ratatouille je lui foutrai ! » Malheureusement, c'est toi qui as grandi le premier...

CÉSAR *(consterné).*

Folie, folie de la persécution.

PANISSE.

Et plus tard... quand j'ai connu Marie Frisette, et que j'en étais amoureux fou, et que je lui plaisais beaucoup – toi, tu as tout fait pour nous séparer – tout. Parce que tu étais jaloux !

CÉSAR.

Moi, j'étais jaloux de Marie Frisette? Mais malheureux, elle était horrible à voir, Marie Frisette ! Elle était maigre comme une bicyclette, et elle louchait !

PANISSE.

Elle n'était pas maigre, elle était mince et elle ne louchait pas, elle avait ce que l'on appelle une coquetterie dans l'œil.

CÉSAR *(Il rit)*.
Et à part ça, elle était ravissante !

PANISSE.
Mais ce n'est pas d'elle que tu étais jaloux : c'était de moi !

CÉSAR.
Moi, j'étais jaloux de toi ? Mais qu'est-ce que tu insinues ?

PANISSE.
Oui, de moi. Parce que quand j'étais avec elle, tu perdais ton esclave... Voilà pourquoi tu nous as fâchés... Et cette tyrannie abominable, elle a duré plus de trente ans !

CÉSAR.
Mais pourquoi m'as-tu supporté, puisque tu me détestais à ce point ?

PANISSE.
Parce que tu as une grande gueule. Oui, tu as une grande gueule et rien d'autre ! Et maintenant, tu t'imagines que ça va continuer ? Tu as la prétention d'empêcher mon mariage ? Mais nom de Dieu, avec deux balles de ce revolver, je te la fais éclater, la coucourde !

(Il pose violemment le revolver sur le comptoir. Le coup part, la balle fait éclater la tête du scaphandre, qui s'effondre. Panisse est stupéfait. César reste calme.)

CÉSAR.
Tu as déjà tué l'escaphandre...

PANISSE *(flageolant)*.
Que ça te serve de leçon, parce que moi, je te tuerai comme celui-là. *(Il va le ramasser.)*

ACTE DEUXIÈME

CÉSAR.

Pauvre marteau, va... Va boire un coup, que ce revolver t'a fait tellement peur que tu ne tiens plus sur tes jambes !... Au fond j'ai bien tort de discuter avec un agité de cette espèce. Ce n'est pas à lui qu'il faut que je parle : lui, il ne comprend rien. C'est à la petite que je vais parler et je te donne ma parole que ce mariage ne se fera pas. *(Il va sortir.)*

PANISSE *(brusquement décidé).*

Tu veux parler à la petite ? Eh bien, écoute, tu peux lui parler tout de suite.

(Il va ouvrir la porte et il appelle Fanny.)

CÉSAR.

Elle est ici ?

PANISSE.

Fanny, César veut te parler !

(Fanny entre.)

Scène VIII

CÉSAR, PANISSE, FANNY.

CÉSAR.

Qu'est-ce que tu viens faire ici ?

PANISSE.

Elle va te le dire, mais ce n'est pas à toi de poser des questions *(Il se tourne vers elle.)* Fanny, César a la prétention d'empêcher notre mariage par tous les moyens, et

175

même à coups de marteau sur ma tête. Il pense avoir des droits sur toi et il affirme que tu lui appartiens parce que son fils t'a fait le grand honneur de t'abandonner. Dis-lui ta façon de penser.

CÉSAR.

Attends, Fanny, ne réponds pas encore. Il te présente mal la chose parce qu'il est de mauvaise foi. Moi, je dis simplement que tu es la fiancée de Marius. Il t'a quittée momentanément, mais toi, tu attends qu'il revienne, parce que tu sais qu'il reviendra. Voilà, c'est tout simple. N'est-ce pas que j'ai raison?...

FANNY.

César, je ne peux pas l'attendre encore deux ans.

CÉSAR.

Tu ne peux pas?... Oui, tu languis, je le sais... Mais tu es bien forcée de l'attendre, puisque tu l'aimes!

FANNY.

Oui, je l'aime. Panisse le sait! Mais à cause de ma mère, à cause de ma famille, je ne peux plus attendre!

CÉSAR.

Ça y est! Ils lui ont monté le coup! J'en étais sûr!

FANNY.

Non, César, ma mère a raison. Vous, vous ne pouvez pas comprendre.

CÉSAR.

Je comprends qu'à cause du qu'en dira-t-on, elle veut te mettre au lit de Panisse. Mais qu'est-ce que ça peut nous faire, les commérages de quatre vieilles déplumées qui tricotent sur les portes? Et ta mère? Elle devient chatouilleuse, tout d'un coup! Est-ce qu'on ne disait pas, autrefois, qu'elle était la maîtresse de ton père, avant leur mariage? Et après? Est-ce que ça les a empêchés d'être heureux? Allons, dis à Panisse qu'on t'a effrayée : il est assez vieux pour comprendre la chose. Il te rend ton « oui », va. Et pour ta mère, moi, je vais lui expliquer.

FANNY.

Non, César, non. Il me faut un mari.

CÉSAR.

Et c'est toi qui dis ça? Il te FAUT un mari? Et tu accepteras le premier singe venu en chapeau melon pourvu qu'il t'épouse et qu'il ait de l'argent?

FANNY.

César, je l'attendrais dix ans si je pouvais l'attendre. Mais maintenant, je ne peux plus. Si Panisse veut encore de moi, je suis prête à l'épouser.

CÉSAR.

Mais ce n'est pas possible, nom de Dieu! C'est donc ça que tu mijotais tout le temps! C'est donc pour ça que tu l'as fait partir... D'ailleurs tu le lui as dit franchement. Tu lui as dit que tu préférais l'argent de Panisse! Il me l'a écrit. Je ne te l'ai pas dit, mais il me l'a écrit... Tu le lui as fait comprendre...

FANNY.

Je mentais, pour lui enlever un souci, parce que je voulais son bonheur... J'ai voulu l'aider... S'il m'avait aimée comme je l'aime, il aurait compris. C'était bien facile à deviner. Il aurait dû le voir, que je mentais...

CÉSAR.

Non, tu ne mentais pas. La preuve, c'est que pendant qu'il courait vers ce bateau de malheur, tu m'as retenu dans le bar. Tu savais que je l'aurais empêché d'embarquer... Alors, comme une hypocrite, tu m'as parlé de votre mariage pour me mettre la larme à l'œil... Et moi, comme un imbécile, j'étais tout ému, et je t'écoutais... la plus grande preuve que tu voulais vraiment épouser Panisse, c'est que tu le fais maintenant... Je constate que tu sautes sur les sous de ce vénérable satyre, et que tu viens le relancer jusqu'ici... Si tu avais la conscience tranquille, tu ne serais pas allée te cacher lorsque j'ai secoué la porte... Va, tu es bien la nièce de ta tante Zoé. Celle-là, elle s'y entendait pour faire danser les vieux pantins... Finalement, je suis bien content que mon fils soit parti. Il a eu raison, il a très bien fait ! Moi, je vais lui écrire, je vais lui expliquer la chose... Et je te garantis que s'il avait gardé le moindre regret, je te garantis qu'il n'en aura plus !

(Il se dirige vers la porte. Fanny s'élance vers lui.)

FANNY.

César, je vous en supplie...

PANISSE.

Laisse-le partir, cet imbécile...

FANNY.

Non, non, Panisse, dites-lui tout. Dites-lui tout...

CÉSAR *(Il se retourne vers eux)*.

Me dire quoi ?

PANISSE.

S'il n'a pas encore compris, c'est qu'il est aussi bête que méchant.

ACTE DEUXIÈME

CÉSAR.

Compris quoi?

FANNY.

Panisse, dites-lui, dites-lui...

CÉSAR.

Qu'est-ce qu'il y a?

PANISSE.

Eh bien, il y a que la petite Fanny se trouve dans une position qui n'est guère intéressante pour une jeune fille.

CÉSAR.

Comment? Comment?

PANISSE.

Et qu'il faut bien qu'il se trouve un brave homme pour réparer le crime de ton galapiat de navigateur!

CÉSAR.

Un petit? Tu portes un enfant de Marius? *(Rugissant.)* Comment! Elle va avoir un enfant, et tu veux me le prendre?

PANISSE.

Comment, te le prendre?

CÉSAR.

Mais il est mien! C'est le petit de mon petit! Et vous voulez me le voler? *(hurlant.)* Mais vous êtes fous, nom de Dieu! Mon petit-fils! Fanny est-ce que tu y penses?

FANNY.

Je pense à ma mère et à ma famille.

FANNY

CÉSAR.

Je me fous de ta mère et de la famille. Ta famille, c'est Marius et ton petit, et moi. Quant à ce monsieur, qu'il se taise, il n'en est pas. Allons, viens à la maison.

FANNY.

Non, non, César. Écoutez-moi. Vous n'avez pas pensé à tout... Marius ne peut pas revenir avant deux ans et si j'ai un enfant sans avoir un mari, ma mère mourra de honte...

CÉSAR.

Mais non, on ne meurt pas comme ça...

PANISSE.

Tu connais Honorine... Tu sais comme elle a été malade lorsque sa sœur Zoé a mal tourné. Si sa fille est déshonorée, ça sera pire.

CÉSAR *(incrédule)*.

Déshonorée ! Ah ! vaï, déshonorée !

FANNY.

Mais oui, déshonorée... Je ne serai qu'une fille perdue et méprisée...

PANISSE.

Dans trois mois, quand elle passera sur le port, on ne se gênera pas pour dire : « Tiens, la petite Fanny a attrapé le ballon ! » Ou bien « Ça doit être un moustique qui l'a piquée... »

FANNY.

Et ma mère, à la poissonnerie, vous pensez ce que les autres vont lui dire !

ACTE DEUXIÈME

CÉSAR.

Mais puisqu'on saura que c'est l'enfant de Marius !

FANNY.

Justement. Tout le monde sait bien que Marius est un honnête garçon et on pensera que s'il m'a quittée après une chose pareille, c'est qu'il y a une vilaine raison.

CÉSAR.

Mais pourquoi ?

PANISSE.

On dira : « S'il l'a quittée, c'est qu'il a vu qu'il n'était pas arrivé le premier. » Ou alors « qu'il n'était pas sûr que l'enfant soit de lui »... et on dira aussi, comme toi tout à l'heure : « D'ailleurs, c'est l'habitude dans la famille. Il y a déjà eu sa tante Zoé qui n'a jamais eu le temps de remettre sa culotte »... Et voilà le calvaire que tu prétends imposer à ces deux femmes ?

CÉSAR.

Si elle ne devait jamais se marier, je ne dis pas non. Mais d'abord, moi, je suis là pour les protéger et les défendre. Et ensuite, elle aura un mari dans deux ans.

PANISSE.

Elle l'aura, ou elle ne l'aura pas. Admettons que ton fils revienne. Es-tu sûr qu'il voudra épouser la petite ?

CÉSAR.

Mais parfaitement, j'en suis sûr.

FANNY.

Depuis qu'il est parti, il a écrit deux fois. Pas à moi, à vous.

FANNY

CÉSAR.

C'est naturel. Mais il parle toujours de toi dans ses lettres.

FANNY.

Oui, comme d'une étrangère.

PANISSE.

Et dans la lettre que tu as reçue tout à l'heure, est-ce qu'il en parle de la petite? Non, il ne t'en parle pas.

CÉSAR.

Qu'est-ce que tu en sais?

PANISSE.

S'il t'en parlait, tu l'aurais déjà dit. Est-ce qu'il te parle de son retour? Non, il ne t'en parle pas. Allons, César, il s'agit de l'honneur et de la vie de Fanny. Sois de bonne foi. Dis la vérité.

CÉSAR *(hésitant)*.

La vérité, c'est qu'elle a eu bien tort de le laisser partir. Il ne me parle plus beaucoup d'elle... quoique dans sa dernière lettre, à la fin, il m'a dit de lui donner le bonjour de sa part...

PANISSE.

Oh c'est bien gentil de sa part *(Fanny s'est levée. Elle va pleurer sur le comptoir)*. Regarde, comme ça lui fait plaisir à la petite. Ça règle tout : il t'envoie le bonjour.

CÉSAR *(violent)*.

Mais quand il saura qu'il a un fils, il épousera la mère tout de suite... Ou alors, je lui casse la gueule.

182

ACTE DEUXIÈME

PANISSE.

Ça n'arrangerait rien. Et puis, là, nous parlons comme s'il revenait sûrement dans deux ans. Et déjà, nous ne sommes pas sûrs du mariage. Et s'il ne revient pas?

CÉSAR

Comment, s'il ne revient pas? *(terrible.)* Et tu oses penser à ça?

PANISSE.

Et toi, tu oses ne pas y penser? Est-ce que c'est toi, par hasard, qui fabriques les tempêtes, les typhons, les tornades et les cyclones? Est-ce que c'est toi qui les lâches sur la mer quand ça te fait plaisir? Et si son bateau sombrait? Voyons, César, peux-tu nous jurer que tu es sûr que ton fils reviendra et qu'il épousera la petite?

CÉSAR.

Honoré, il y a huit chances sur dix pour que ce mariage se fasse — mettons sept chances sur dix.

PANISSE.

Mettons six, ou même cinq.

FANNY.

Et il en reste beaucoup pour que la vie de cet enfant soit gâchée.

PANISSE.

Maintenant, personne ne le sait et n'importe qui peut épouser Fanny et donner son nom au petit sans être ridicule.

FANNY.

Mais quand il sera né? Qu'est-ce que ça sera?

FANNY

PANISSE.

Un petit bastardon, rien de plus.

CÉSAR *(pensif)*.

C'est vrai, ça, c'est vrai...

FANNY.

Et plus tard, à l'école, ses petits amis lui diraient : « Moi, mon père est mécanicien ou boulanger. Et le tien, qu'est-ce qu'il fait ? » Et le pauvre petit deviendra tout rouge et il dira : « Moi ? J'en ai pas. »

CÉSAR *(pâle)*.

Oh ! bon Dieu !

FANNY.

J'ai pensé longtemps à toutes ces choses. Je pense à ma mère, je pense à l'enfant, à toute ma famille... Il vaut mieux que je devienne Mme Panisse, et tout le monde sera content, même Marius.

CÉSAR *(faiblement)*.

Mais non, mais non...

PANISSE *(vivement)*.

D'abord, si j'épouse la petite, cet enfant aura un père, et un nom. Il s'appellera Panisse.

CÉSAR.

Si par hasard il s'appelait Panisse, en tout cas, il s'appellerait Marius Panisse. César-Marius Panisse.

PANISSE.

Ça si tu veux, puisque tu serais le parrain. Comme ça, tu ne le perdrais pas, tu t'occuperais de lui tant que tu voudrais. De plus, il serait riche. Il y a une chose que personne ne sait, parce que j'en ai un peu honte. D'habitude, au café, quand on parle de la fortune des uns et des autres, moi, je dis toujours que j'ai six cent mille francs. Eh bien, c'est pas vrai, César, j'en ai plus du double.

CÉSAR.

Toi? Tu es millionnaire?

PANISSE.

Plus la valeur du magasin, ce qui fait un million et demi. Fanny elle-même ne le savait pas. Maintenant, je le dis, parce que c'est utile à la conversation.

CÉSAR.

Et tu laisserais tout ça au petit?

PANISSE.

Naturellement, puisque c'est mon fils.

CÉSAR.

Évidemment que ce garçon aurait la vie plus belle, surtout si l'autre s'obstine à vouloir naviguer toute sa vie... *(Il hésite, puis il avoue.)* Il me l'a écrit... Il dit que c'est son étoile, et qu'il veut passer sa vie sur la mer...

PANISSE.

Tu vois bien...

CÉSAR.

Mais il faut que je réfléchisse...

(un temps.)

CÉSAR.

Et moi si je lui laissais le bar, ajouté à toi, ça ne ferait pas loin de deux millions... Fanny, ce garçon, à vingt ans, il pourrait fumer des cigares comme le bras!

FANNY

PANISSE.

Si ce n'est pas une fille.

CÉSAR *(scandalisé).*

Une fille? Qu'est-ce que tu vas chercher? O Porte-malheur! *(Il rit, puis il secoue la tête.)* Honoré, il y a une chose qui ne va pas dans cette affaire.

PANISSE.

Et quoi?

CÉSAR.

L'enfant va naître beaucoup trop tôt, puisqu'il est déjà fait depuis au moins deux mois! Et tout le monde comprendra.

PANISSE.

Je viens d'y penser : ce sera un enfant de sept mois, et voilà tout.

CÉSAR.

Qui va le croire?

PANISSE.

Tout le monde, parce que j'ai mon plan. Écoute bien... Quand ce sera le moment, vers la fin, un soir, je l'emmène faire une petite promenade en voiture sur la Gineste, pour prendre l'air. Je m'arrête dans un endroit solitaire; avec un marteau, je casse un phare, je cabosse une aile. C'est un accident d'automobile. La mignonne prend peur, et voilà ce que tu liras dans le Petit Provençal :

« En descendant la côte de la Gineste; au lieudit La Fontasse, la voiture que conduisait Maître Honoré Panisse, déportée dans le virage, a violemment heurté un pylône électrique. Les dégâts sont peu importants. Mais en arrivant chez elle, l'épouse du maître voilier a prématurément mis au monde un garçon parfaitement viable, et M. le Docteur Venelle nous affirme que la mère et l'enfant se portent bien. Un blâme à l'imprudent conducteur, mais nos félicitations aux heureux parents.

CÉSAR.

O Panisse ! Tu es une belle canaille ! Ça ne m'étonne pas que tu gagnes tant d'argent !

(Entre Honorine, suivie de Claudine.)

Scène IX

HONORINE, PANISSE, CLAUDINE, CÉSAR, FANNY.

HONORINE.

Alors, il faudra que je passe ma vie à te chercher ?

PANISSE.

Elle n'est pas en danger, Norine, quand elle est ici ! Té, bonjour, Claudine, vous allez bien ?

CLAUDINE.

Mes jambes me portent plus, vé ! Il faut que je m'assoie !...

HONORINE.

Alors, vous faites la conversation avec César ?

CÉSAR.

Oui, nous parlions. Et d'une chose qui ne me plaît guère.

PANISSE *(rayonnant)*.

Norine, la petite m'a dit « oui ».

FANNY

HONORINE *(à César)*.

Et c'est ça qui ne vous plaît pas?

CÉSAR.

Eh oui, c'est ça... Parce que Marius...

HONORINE.

Eh bien celui-là, il ne manquerait plus que ça qu'il dise quelque chose! Un navigateur, qui est peut-être en train de danser la bamboula sur la plage de Tahiti, et qui va rapporter à la maison une belle vérole des tropiques comme le neveu de Mathilde, qu'on a fini par mettre chez les fous.

CLAUDINE.

Il faut vous faire une raison, César. C'est lui qui l'a voulu...

CÉSAR.

Je le sais bien... Je le sais bien... Mais moi, ça me fait peine de perdre une belle fille comme Fanny... Moi, j'avais l'habitude de la voir aux coquillages, et d'entendre claquer ses petits sabots... Elle n'y viendra plus, maintenant...

FANNY *(Elle s'est rapprochée de lui, il pose son bras sur son épaule)*.

Mais si, je viendrai encore... Pas tous les jours, peut-être, mais je viendrai...

CÉSAR.

Tu ne pourras plus... La femme de Maître Panisse, président du Syndicat, juge au tribunal de commerce... Tu auras les talons pointus, la fourrure, les gants et même le chapeau... Enfin... Je ne sais plus quoi dire. *(Il se tourne vers Panisse.)* Honoré, fais la bise à ta mère!

ACTE DEUXIÈME

PANISSE.

Qu'est-ce que tu racontes?

CÉSAR.

Voilà ta mère, et voilà ta tante!

PANISSE.

Alors, je les embrasse toutes les deux! *(Il fait comme il dit.)*

CÉSAR.

Au fond, toute la famille est réunie. Il n'y a que moi qui n'en suis pas. Mais peut-être un jour, j'en serai.

HONORINE.

Dites, vous avez l'intention de m'épouser, peut-être?

CÉSAR.

Ça, c'est encore possible : mais surtout, s'ils ont des enfants, c'est moi qui serai le parrain. Pas vrai, Panisse?

PANISSE.

C'est juré, ça, César, mais attends au moins que le premier soit commencé.

HONORINE *(à César)*.

Vous croyez, vous, qu'ils auront des enfants?

CÉSAR.

Mais certainement, qu'ils en auront!

CLAUDINE.

Pourquoi pas? Ce Panisse est tellement coquin. Peut-être ils en auront une demi-douzaine!

HONORINE *(à Panisse).*
Ça vous étonnerait, vous, d'avoir des enfants?

PANISSE.
Une demi-douzaine, ça m'étonnerait. Ça m'inquiéterait même!... Mais un? Ça ne m'étonnerait pas du tout!

CÉSAR.
Je vous dirai même qu'il y compte!...

RIDEAU

FIN DE L'ACTE DEUXIÈME

ACTE TROISIÈME

Une belle salle à manger provençale, celle de Maître Panisse. A gauche, au premier plan, un secrétaire fermé.
A la grande table, un vieux monsieur à cheveux blancs est assis. Un registre et des feuilles de papier sont devant lui. Il les examine tour à tour, et prend des notes. On frappe discrètement à la fenêtre. Le vieux monsieur se lève et l'ouvre. Monsieur Brun paraît.

ACTE TROISIÈME

Scène I

M. BRUN, RICHARD, HONORINE, PANISSE, FANNY.

M. BRUN.

Bonsoir Richard.

RICHARD.

Bonsoir M. Brun.

M. BRUN.

Est-ce que Maître Panisse est là?

RICHARD.

Non. Il est allé avec Madame au grand dîner du Yacht Club. Mais il va rentrer de bonne heure, parce qu'il part au train de 10 h 30 pour Nice, pour le congrès des moteurs Beaudoin et il faut qu'il signe la déclaration fiscale ce soir, dernier délai.

M. BRUN.

Est-ce que vous pourriez lui faire discrètement une commission?

RICHARD.

Bien sûr. Pourquoi discrètement?

M. BRUN *(hésitant)*.

Parce que c'est une chose un peu personnelle... D'ailleurs sans gravité... Dites-lui simplement : Marius est revenu.

RICHARD.

Celui du bar?

M. BRUN.

Oui. Le chef de gare, qui me téléphonait pour une affaire de service vient de me dire qu'il l'a vu en train de boire un verre au buffet avec un officier de marine... Au fond, c'est un fait sans importance. Mais il vaut peut-être mieux que maître Panisse en soit averti... Enfin, qu'il ne soit pas surpris quand il le reverra... s'il le revoit...

RICHARD *(inquiet)*.

Monsieur Brun, moi je suis comptable, et ça ce sont des affaires qui n'ont pas de comptabilité, et je ne veux pas m'en mêler! Oh que non!

M. BRUN.

Dans le fond, je vous comprends... Et puis, finalement, il ne s'agit pas d'une catastrophe; et il le saura bien assez tôt. Bonsoir Richard.

RICHARD.

C'est monsieur César qui va être content! Vous allez le lui dire?

M. BRUN.

Non! Je vais boire un café avec lui, comme d'habitude – mais sans rien dire, pour lui laisser la surprise! Bonsoir Richard...

ACTE TROISIÈME

RICHARD.

Bonsoir Monsieur Brun.

(Honorine entre par la droite.)

HONORINE.

Qui c'était?

RICHARD.

Monsieur Brun qui a dit bonsoir en passant!

HONORINE.

Ça vous dérange si j'écoute un peu la radio?

RICHARD.

Pas le moins du monde!

HONORINE.

Surtout que je la mets pas trop fort, parce que le petit dort.

(Elle s'installe devant le poste. On entend ouvrir la porte d'entrée, puis Fanny entre, suivie de son mari. Elle est en manteau de fourrure et robe du soir. Panisse, en habit, la suit. Il va directement à la radio et tourne le bouton.)

PANISSE *(à Richard).*

Vous êtes encore là?

RICHARD.

La déclaration. A partir de demain à minuit, 10 % de majoration. Alors, si vous ne rentrez pas demain après-midi...

PANISSE *(tout en signant).*

Je pense être là vers les six heures mais il se pourrait aussi que je ne rentre qu'après demain matin... *(à Honorine).* Comment est le petit?

HONORINE.

Il était un peu chaud, mais il s'est bien endormi.

PANISSE.

Un peu chaud? Et vous n'avez pas appelé le docteur?

HONORINE.

Mon Dieu non! Il l'a vu il n'y a pas trois jours.

PANISSE.

En trois jours, on peut tomber malade.

(Il sort.)

HONORINE.

Mon Dieu que cet homme est pénible!

(Fanny quitte ses gants.)

RICHARD *(Il range ses papiers).*

Madame, j'ai peur de manquer le dernier tramway... Je vous ai apporté une lettre recommandée reçue cet après-midi. *(Il lui tend une lettre ouverte.)* C'est le capitaine de l'Hippocampe. Il dit que le foc que nous avons fait est beaucoup trop petit.

FANNY.

Nous l'avons fait sur les mesures qu'il nous a données.

ACTE TROISIÈME

RICHARD.

Ils disent que nous n'avons pas compris les mesures anglaises.

FANNY.

Mon mari les connaît et s'il y a eu une erreur, c'est eux qui se sont trompés. Je vais leur répondre immédiatement. Et la traite Lambert?

RICHARD.

Elle est payée.

(Il lui tend l'avis de la banque.)

FANNY.

Bien. A demain, Richard.

RICHARD.

Bonsoir Madame.

(Il sort. Fanny va s'asseoir à sa place, et lit le courrier qu'elle classe. Entre Panisse en costume de voyage. Raglan, foulard, casquette.)

Scène II

PANISSE, HONORINE, LE CHAUFFEUR, MARIUS, FANNY.

PANISSE.

Norine, vous devriez rester auprès du petit. Il dort, mais il a les joues bien rouges, et on parle beaucoup de la coque-luche!

FANNY

HONORINE.

Quand il est pâle, vous en avez la colique, quand il a de belles joues rouges, vous croyez qu'il va mourir! De quelle couleur vous voulez qu'il soit?

PANISSE.

Rose.

HONORINE.

Eh bien, il est rose.

PANISSE.

Prenez-lui tout de même la température.

HONORINE.

Non. Rien qu'en touchant son front, moi je sais s'il a la fièvre. Et puis, à force de lui mettre ce thermomètre dans le derrière, on finira par lui donner de mauvaises habitudes.

(Elle sort. Panisse hausse les épaules et s'approche de Fanny.)

PANISSE.

Surveille-le. Et à la moindre des choses, appelle Félicien. Il n'a que trois pas à faire. Bon. Alors, je pense être là demain soir, ou au plus tard après-demain vers midi... D'ici là...

(On frappe à la porte, et un chauffeur en casquette entre.)

LE CHAUFFEUR.

Monsieur, il est dix heures cinq.

PANISSE.

Bon. J'arrive. Alors, ma chérie, à demain. Dans tous les cas, je te téléphonerai.

ACTE TROISIÈME

(Il baise le front de sa femme et sort. Fanny va ouvrir le secrétaire, ôte la housse d'une machine à écrire, y engage deux feuilles de papier, un carbone, relit la lettre recommandée, et commence à taper la réponse.

Un volet de la fenêtre du fond s'ouvre lentement. L'ombre d'un homme frappe discrètement à la vitre. Fanny se lève et s'approche. La fenêtre s'ouvre. Fanny fait un pas en arrière. C'est un marin, c'est Marius.)

MARIUS.

N'aie pas peur, Fanny. C'est moi, c'est Marius.

FANNY.

Tu es de retour?

MARIUS.

De passage, ne t'inquiète pas. Je veux simplement te dire bonjour, en passant, ou plutôt bonsoir... Si ça ne te dérange pas. *(Il franchit la fenêtre d'un saut. Fanny recule. Marius la regarde, puis il paraît hésitant.)* Je me demande s'il ne faut pas t'appeler Madame, et te dire vous.

FANNY.

Ce serait ridicule.

MARIUS.

Tu as tellement changé !

FANNY.

J'ai vieilli.

MARIUS.

A ton âge, vieillir ça s'appelle embellir. Ton mari n'est pas là?

FANNY

FANNY.

Il dort. Nous sommes allés dîner en ville ce soir... Et il faut qu'il se lève de bonne heure demain matin... Tu boiras bien un verre de quelque chose?

MARIUS.

Volontiers. Mais j'aurais aimé de trinquer avec lui, pour qu'il ne se fasse pas des idées... Et puis le revoir, lui parler...

(Elle a pris un plateau dans un bahut.)

FANNY.

Tu pourras le voir demain certainement.

MARIUS.

Ce n'est pas possible. Je repars pour Paris à 5 heures. Il faut que je sois à la gare avant 4 heures. Je vais à Paris, en mission.

FANNY.

Ton bateau est revenu?

MARIUS.

Non. Il est encore à Tahiti. Figure-toi que nous avons traversé un cyclone — pendant des heures tout a valsé — et plusieurs appareils océanographiques en ont pris un grand coup. Alors, ces appareils on ne peut pas les réparer n'importe où. Il faut les ramener à ceux qui les ont faits... Parce que c'est de la précision. C'est scientifique... Ça marche à l'électricité... Un pastis terrible... Alors, on les a transbordés sur un contre-torpilleur qui rentrait à Toulon, avec une mission de trois hommes et le second pour les convoyer... Et moi, j'ai fait partie de la mission, parce que j'ai demandé... Je me languissais.

ACTE TROISIÈME

FANNY.

Tu te languissais de revoir ton père?

MARIUS.

Oui, mon père, Marseille, Escartefigue, toi... tout le monde, quoi...

FANNY.

Et qu'est-ce qu'il t'a dit?

MARIUS.

Qui?

FANNY.

Ton père.

MARIUS.

Je ne l'ai pas encore vu... Je me suis arrêté ici en passant, quand j'ai vu ta fenêtre éclairée... Mais maintenant, je vais aller dîner avec lui. Après, nous retournerons à Tahiti, avec les appareils...

FANNY.

Tu as vu les Iles sous le Vent?

MARIUS.

Naturellement. C'est très joli. C'est des montagnes qui sortent de la mer... Avec des arbres magnifiques... Il y a des gros crabes qui montent jusqu'en haut des cocotiers, pour faire tomber les noix de coco... Et puis, il ne fait jamais froid... Tout le monde est presque nu... Il y a beaucoup de belles filles, et des beaux hommes qui jouent de la guitare. Ils mangent des poissons et des fruits, des beaux fruits qui ont le goût de térébenthine. Et puis, des îles comme ça, il y en a beaucoup. Enfin, dans six mois, le bateau rentre, et mon engagement est fini.

FANNY

FANNY.

Et alors, que feras-tu?

MARIUS.

Je ne sais pas encore... Je verrai.

FANNY.

Tu n'as plus cette folie de naviguer?

MARIUS.

On ne peut pas dire que je ne l'ai plus. Mais les folies, tu sais, c'est toujours pareil, dès qu'on a ce qu'on voulait, on se demande un peu pourquoi on l'a voulu!

FANNY.

Alors tu n'es pas heureux sur la mer?

MARIUS.

On est toujours heureux quand on est là où on a voulu aller. Et si on disait qu'on est malheureux, ça voudrait dire qu'on a été bien bête... Non, je ne suis pas malheureux, bien sûr... Mais je me suis rendu compte que si j'étais resté ici, je ne serais pas malheureux non plus. Et toi, tu es heureuse?

FANNY.

J'ai un bon mari.

MARIUS.

Et une belle maison.

FANNY.

Oui, une belle maison.

MARIUS.

Ta mère va bien?

ACTE TROISIÈME

FANNY.

Oui. Très bien. Honoré n'a pas voulu qu'elle reste à la poissonnerie et pour les coquillages, il a mis une commise. Alors, maman habite avec nous.

MARIUS.

Comme ça, tu es encore plus tranquille, pour faire marcher la maison... *(Un silence. Marius se lève.)* Alors voilà. Je vais dîner avec mon père, et je reprendrai le train pour Paris cette nuit...

(On frappe à la porte qui s'ouvre. Paraît le chauffeur, derrière un beau bouquet de roses. Il ôte sa casquette.)

LE CHAUFFEUR.

Monsieur vous envoie ces fleurs — c'étaient les dernières de la petite bouquetière de la gare. Il m'a chargé de vous dire qu'il faisait le voyage avec Monsieur Tavernier, le pharmacien, et qu'il rentrera demain par le train qui arrive à 16 h 30.

FANNY *(Elle prend les fleurs)*.

Merci.

LE CHAUFFEUR.

Madame a besoin de la voiture demain matin?

FANNY.

Oui, vers dix heures. Quelques courses en ville.

LE CHAUFFEUR.

Bonsoir madame.

FANNY.

Bonsoir Lucien.

(Le chauffeur salue Marius d'un signe de tête, et sort.)

FANNY

Scène III

MARIUS, FANNY, CÉSAR, PANISSE, LE DOCTEUR.

MARIUS.

Pourquoi me l'as-tu pas dit?

FANNY.

Parce qu'en l'absence de mon mari, il n'était pas honnête de te recevoir dans sa maison.

MARIUS.

Pourtant, tu m'as reçu quand même.

FANNY.

Parce que tu ne le savais pas.

MARIUS.

Et tu ne me l'as pas dit parce que tu as eu peur que je
te parle du temps passé et que je te fasse une scène de
désespoir...

FANNY.

Oh! non! Tu étais bien trop content de partir...

MARIUS.

Tu m'avais dit que tu voulais épouser Panisse.

FANNY.

Et tu l'avais cru?

MARIUS.

Peut-être parce que ça m'arrangeait de le croire... Ça
c'est vrai. Mais je l'ai cru.

ACTE TROISIÈME

FANNY.

Si ça t'arrangeait de le croire, c'est que tu n'étais pas désespéré de me quitter... Je ne vois pas pourquoi tu serais au désespoir maintenant...

MARIUS.

Ce qui se passe dans notre tête, on ne le comprend pas toujours... Je veux dire pas tout de suite... Avec Piquoiseau qui me racontait ces histoires et ces sirènes de bateau qui m'appelaient dix fois par jour, et même qui me réveillaient la nuit... je m'étais fait des imaginations... Et pour te dire la vérité, pendant les premiers mois, j'étais content...

FANNY.

Je sais. Ton père m'a lu tes premières lettres. Tu lui disais de me donner bien le bonjour. Ça m'a fait plaisir.

MARIUS.

Je ne savais plus que dire... Je n'osais même pas penser à toi... J'avais mauvaise conscience... Et puis, c'est justement aux Iles que ça m'a pris. Le soir, l'équipage allait sur les plages... Il y avait des chanteurs, des guitares, et de belles filles... A partir du troisième jour, je suis resté à bord... J'entendais les musiques, et je pensais à toi... Je te voyais derrière tes coquillages... Je te voyais courir le long du quai, j'entendais claquer tes petits sabots...

FANNY.

Marius, c'est trop tard maintenant. Ne me dis plus rien...

MARIUS.

Je te voyais partout, partout. Et puis, un jour, juste au large des Carolines, comme nous relevions des récifs de corail, il m'est arrivé une chose terrible, je n'ai pas pu penser à toi : j'avais oublié ta figure. Je te cherchais, je ne te trouvais plus. Je me prenais la tête dans les mains, je fermais les yeux de toutes mes forces; je voyais du noir, je t'avais perdue. Alors, je suis devenu comme fou – et j'ai vite écrit à mon père pour qu'il m'envoie une carte postale, celle où on voit la terrasse du bar; je lui avais dit que c'était pour avoir un souvenir du bar – mais la vérité, c'était pour toi, parce que tu es debout derrière ton éventaire... Et cette photographie, tu ne peux pas t'imaginer comme je l'ai attendue... Je comptais les jours, et même les heures...

Enfin, en touchant Papeete, j'ai trouvé le courrier de France. Dans la lettre de mon père, il y avait la carte postale, et une autre photographie : c'était celle de ta noce, devant la mairie. Alors, je les ai déchirées en tout petits morceaux, et je les ai jetées dans le vent des îles, et j'ai compris que j'avais gâché ma vie.

FANNY.

Va, tu en trouveras une autre... Il y en a beaucoup de plus belles que moi.

MARIUS.

Oh non ! La plus belle, c'est toujours toi, et ce sera toujours toi... Dis-moi la vérité : tu es vraiment heureuse?

FANNY.

Je te l'ai dit : j'ai un bon mari.

MARIUS.

Tu l'aimes d'amour?

FANNY.

Je l'aime bien.

MARIUS.

Je peux te dire la même chose de mon père. Je l'aime bien.

ACTE TROISIÈME

FANNY.

Ça suffit pour vivre ensemble.

MARIUS.

Tu veux que je te dise ce que je m'imagine?

FANNY.

Non, je ne veux pas le savoir.

MARIUS.

Je m'imagine que tu ne m'as pas oublié. Je m'imagine
que si je reviens dans six mois...

FANNY.

C'est trop tard, Marius... Trop tard...

MARIUS *(Il s'anime tout à coup)*.

Fanny, maintenant je sais que j'ai été un imbécile et
que cet amour ne me passera jamais. Non, jamais je ne
pourrai aimer une autre femme, et sans toi, ma vie est
finie. Je ne te dirai pas que je vais aller me noyer, non...
Mais quand je te vois dans cette maison, j'ai une douleur
qui me serre les côtes et il me semble que mon cœur va
s'arrêter... Alors, tu as tout oublié?

FANNY.

Tu sais bien que non...

MARIUS.

Alors?

FANNY.

Il n'y a plus rien à faire. Trop tard.

FANNY

MARIUS.

Écoute : il y a des gens qui divorcent. Ça existe, le divorce. Ce n'est pas déshonorant... Monsieur Caderousse, l'adjoint au maire, il a divorcé sa femme, et ils sont restés bons amis...

FANNY.

Je sais, mais ils n'avaient pas d'enfant.

MARIUS.

Et alors ?

FANNY.

J'en ai un.

MARIUS *(surpris)*.

Toi ? Tu as un enfant ?

FANNY.

Oui.

MARIUS.

Quel âge a-t-il ?

FANNY *(gênée)*.

Oh ! c'est encore un bébé. Ton père ne te l'a pas écrit ?

MARIUS.

Non. Et je me demande pourquoi.

FANNY.

Il a pensé que ça ne t'intéressait pas...

MARIUS.

Ou peut-être il n'a pas voulu me donner du regret.

ACTE TROISIÈME

FANNY.

Peut-être.

(La fenêtre s'ouvre, et César paraît. Il n'est pas content.)

CÉSAR.

Voilà une bonne surprise !... Au bout de dix-huit mois, au lieu de courir chez ton père, tu restes à faire la conversation, à dix heures du soir chez Maître Panisse, qui ne t'a pas invité, parce qu'il est parti... Et si Monsieur Brun ne t'avait pas vu au buffet, je ne saurais pas encore que tu es arrivé !

MARIUS.

Ne commence pas à crier tout de suite !

CÉSAR.

Je ne crie pas, je m'explique ! *(Il entre par la fenêtre et va vers Marius).* Fais-toi voir. *(Il le prend aux épaules, l'embrasse, puis le regarde.)* Tu as forci. Ça te va bien. Tu ne trouves pas, Fanny qu'il a forci?

FANNY.

Il a bien l'air d'un marin, maintenant.

CÉSAR *(brusquement)*.

Et pourquoi tu ne t'es pas annoncé?

MARIUS.

Parce que nous sommes partis brusquement, par un contre-torpilleur qui va deux fois plus vite que le courrier.

CÉSAR.

Et pourquoi tu n'as pas télégraphié?

209

MARIUS.

Parce que je n'étais pas sûr que je pourrais venir de Toulon pour te voir. Et puis, je voulais te faire la surprise. Et toi, pourquoi tu ne m'as pas écrit que Fanny avait un enfant?

CÉSAR *(Il fait quelques gestes évasifs).*

Parce que... quand une fille se marie, c'est une chose toute naturelle!... Tu as une longue permission?

MARIUS.

Oh non. Je prends le train qui passe en gare à cinq heures.

CÉSAR.

Bon. Hé bien, on va aller dîner maintenant. Tu as vu et tu as compris. Allez zou, dis bonsoir à Madame Panisse, et viens t'expliquer avec ton père. *(Marius hésite. Il regarde tour à tour le décor, Fanny, puis César. On entend tourner une clef dans la serrure de la porte d'entrée, puis la voix de Panisse.)*

PANISSE *(off).*

Figure-toi dans le couloir du wagon, juste comme le train allait partir...

(Il entre, voit Marius et César. Il s'arrête, surpris.) Qu'est-ce qu'il se passe? Le petit?

FANNY.

Non, nous avons une visite, voilà tout.

PANISSE.

Bonsoir Marius. Tu es de retour?

ACTE TROISIÈME

CÉSAR.

Il est de passage. Il vient d'arriver, et il repart tout à l'heure pour Paris.

FANNY.

Finalement, tu as manqué ton train?

PANISSE.

Non. Figure-toi que dans le couloir du wagon, je tombe sur Tavernier, notre pharmacien, qui me dit que le petit garçon de la femme de ménage a une coqueluche terrible! Et naturellement elle ne t'a rien dit?

FANNY.

Non.

PANISSE.

Mais c'est une criminelle! C'est elle qui balaie sa chambre, qui s'occupe du berceau, et qui emporte son linge chez elle pour le laver!... Je l'ai même vue une fois lui donner le biberon...

FANNY.

Pas ces temps-ci. C'est quand maman a eu la grippe.

PANISSE.

C'est quand même scandaleux qu'avec une mère et une grand-mère, on le laisse entre les mains d'une femme coquelucheuse... Enfin, en passant, j'ai réveillé le docteur, et il arrive. Quelle misère!

MARIUS.

Oh, vous savez, la coqueluche, ce n'est pas si terrible!

FANNY

CÉSAR.

Malheureux ! Ça s'attrape rien qu'en regardant ! C'est une espèce de microbe voltigeant, cent millions de fois plus petit qu'un moustique ! Même si un docteur te le fait voir, et qu'il te dit : « Il est là », eh bien, tu as beau regarder, tu ne le vois pas. Et c'est un monstre qui a des crochets terribles... Et dès qu'il voit un petit enfant, cette saloperie lui saute dessus, et il essaye de lui manger le gosier, et il lui fait des misères à n'en plus finir !

(Entre le docteur. Petite barbe grisonnante, les cheveux hérissés, en pyjama et babouches. Il n'est pas content.)

LE DOCTEUR.

Tiens ! Bonsoir Marius.

MARIUS.

Bonsoir docteur.

LE DOCTEUR *(à Fanny).*

Est-ce qu'il a toussé ?

FANNY.

Non. Pas du tout.

LE DOCTEUR.

Température ?

FANNY.

A 6 heures, 37,2.

LE DOCTEUR *(à Panisse).*

Alors ? Tu me tires de mon lit, juste dans mon premier sommeil, après une journée écrasante, pour que je vienne constater qu'il n'a rien du tout !

ACTE TROISIÈME

PANISSE.

C'est bien ce que j'espère.

LE DOCTEUR.

Mon pauvre Honoré, tu es un pénible au point d'en devenir fada *(à Marius)*. Cet enfant a une santé magnifique. Il a tout juste un an, puisque c'est demain son anniversaire et il pèse 1,600 kg de plus que le poids normal. Il fait des prémolaires avec six mois d'avance, sans un dixième de fièvre, et il crie presque aussi fort que son parrain. Qu'est-ce que tu veux de plus?

PANISSE.

Je veux que tu ailles l'examiner tout de suite. Allons-y.

(Panisse et Fanny vont suivre le docteur, qui les arrête d'un geste.)

LE DOCTEUR.

Non, pas toi. Tu me pompes l'air! Viens Fanny!

(Ils sortent.)

Scène IV

MARIUS, CÉSAR, PANISSE.

MARIUS *(à son père)*.

C'est toi le parrain?

CÉSAR.

C'est tout naturel... Le fils de mon vieil ami...

FANNY

MARIUS.

Et il a un an, le fils de ton vieil ami?

PANISSE.

Il va avoir un an.

MARIUS.

Un an demain : c'est le docteur qui l'a dit. C'est curieux que cet enfant soit en avance sur tous les autres.

PANISSE.

Pourquoi dis-tu ça?

MARIUS.

Parce que je sais compter, maître Panisse. Vous vous êtes marié le 16 août... On pourrait dire qu'il a été fait deux mois avant la noce... Fanny, je n'aurais pas cru ça de toi! Je ne me suis douté de rien!

CÉSAR.

Allons, ne plaisante pas.

PANISSE.

Oh! laisse-le dire, César. Tu sais que j'ai de quoi lui répondre. Tu as raison, Marius : c'est un prématuré, et je vais te le prouver tout de suite.

(Il va au bureau, et prend un petit registre.)

MARIUS.

Ça m'étonnerait.

PANISSE
(il ouvre le registre à la première page).
Eh bien, sois étonné. *(Il tend le registre ouvert à Marius.)*

214

ACTE TROISIÈME

C'est le livre de santé du petit. C'est moi qui le tiens. Et la première page, c'est un article du Petit Marseillais. Lis-le.

(Marius le lit en silence.)

PANISSE.

Et ça, c'est une preuve indiscutable. C'est officiel.

MARIUS.

Ce qu'il y a dans les journaux, des fois c'est vrai, des fois ce n'est pas vrai. Et puis, c'est possible que vous ayez eu un accident d'automobile qui ait avancé la naissance de deux ou trois jours... Et puis, ce journal, je me demande si vous ne l'avez pas gardé pour moi...

CÉSAR.

Écoute, Marius, il est onze heures, j'ai laissé la daube sur le feu, et tu n'as pas très bonne mine. Allons dîner, et si tu veux faire des suppositions tardives, tu me les feras à moi. Tu es ici chez maître Panisse et chez sa femme. Allez, viens.

MARIUS.

D'accord. Mais avant de partir, je veux demander une seule chose. Maître Panisse jurez-moi, sur la vie de l'enfant, que c'est votre fils. Jurez sur sa vie, et je m'en vais tranquille.

PANISSE.

Moi, je ne jure pas, je ne jure jamais et surtout pas sur la vie de mon enfant.

MARIUS.

Parce que vous avez peur de lui porter malheur. Et toi, mon père, tu ne le sais pas de qui il est, cet enfant ? Donne ta parole d'homme. Dis ce que tu sais.

FANNY

CÉSAR.

Je sais que nous sommes chez maître Panisse, et chez sa femme, je sais qu'il est né pendant leur mariage, et qu'il porte leur nom.

MARIUS.

Moi, maintenant, je comprends tout. C'est à cause de l'enfant qu'elle s'est mariée si vite, à cause de sa mère, et de l'honneur de la famille... Et toi, tu étais au courant — et c'est pour ça que tu ne m'as pas annoncé la naissance. C'est pour ça que tu es le parrain. Et moi, qu'est-ce que je suis là-dedans?

PANISSE.

Si ce que tu dis est vrai, toi tu es celui qui est parti comme un vagabond, en abandonnant la fille qui t'avait fait confiance. Et si un honnête homme l'a sauvée du déshonneur et des commérages, tu ne peux que lui dire merci.

MARIUS.

Eh bien, merci maître Panisse. Je vous le dis sincèrement, mais maintenant, il faut trouver une solution pour me rendre ma femme et mon fils.

CÉSAR.

Allons, tu déparles.

PANISSE.

La solution, il y en a une : je peux aller à la pêche, un matin, de bonne heure, le bateau chavire, et je me noie. Ce serait un noble sacrifice. Mais si je disparais, je ne verrai plus ma femme, ni le petit. Je ne pourrai plus travailler pour assurer leur avenir. Alors, je refuse de me noyer.

ACTE TROISIÈME

CÉSAR.

Personne ne te le demande.

PANISSE.

L'ambiance me le suggère. Eh bien, je refuse définitivement.

MARIUS.

Vous êtes un brave homme, Panisse et moi, je suis un imbécile, je le reconnais. J'ai fait une folie. A vingt ans, en quelques minutes, j'ai tout perdu... Personne ne savait que cet enfant allait naître... Vous trouvez juste que pour une bêtise la vie de plusieurs personnes soit gâchée?

PANISSE.

Quelles personnes?

MARIUS.

Fanny, moi, mon père et mon fils.

PANISSE.

Et moi, qu'est-ce que je deviens, là-dedans?

MARIUS.

Vous, vous avez été heureux pendant deux ans, et vous avez été heureux en faisant une bonne action. Ce que vous avez fait, je vous en remercie. Mais maintenant il faut prendre votre courage et me rendre ce qui m'appartient.

CÉSAR.

Oh! Tu vas vite, Marius!

PANISSE.

Beaucoup trop vite – et peut-être dans une fausse direction. Écoute, Marius. Tu vois que je ne me fâche pas, et que je te parle posément. Ce retour, il y a presque deux ans que je l'attends. Et chaque soir, avant de m'endormir, je me disais : et si c'est demain qu'il revient? Et s'il essaie de réclamer sa femme, qu'est-ce que je vais lui répondre? Et puis je pensais : « Il est trop content d'être sur la mer. S'il revient, il repartira... » Et puis ce soir, me voilà dans une situation qui n'est pas très bonne, et je vais te dire pourquoi.

(La porte de la chambre s'ouvre. Paraît le docteur, suivi de Fanny.)

Scène V

PANISSE, LE DOCTEUR, FANNY, CÉSAR.

PANISSE.

La coqueluche?

LE DOCTEUR.

Aucun signe particulier.

FANNY.

Par précaution, j'ai changé son linge, ses draps et nous avons mis le berceau dans la petite chambre.

LE DOCTEUR.

Aucun signe de coqueluche, mais il a un peu de fièvre : 38.

PANISSE *(inquiet)*.

38?

FANNY.

38 et deux dixièmes.

ACTE TROISIÈME

PANISSE *(affolé)*.

Mais c'est très grave, puisque de la fièvre il n'en a jamais eu !

FANNY.

Si, il en a eu, mais on ne te l'a pas dit, parce que ça n'en valait pas la peine.

PANISSE.

Voilà comment elles sont ! *(au docteur)*. Et d'où ça vient, cette fièvre?

LE DOCTEUR.

Ça vient un peu de ses dents, et surtout parce qu'il n'a pas le ventre libre. Est-ce qu'on lui donne régulièrement les petites pilules laxatives?

PANISSE.

C'est-à-dire que... *(il hésite)*.

LE DOCTEUR *(sévère)*.

C'est-à-dire quoi?

FANNY.

C'est-à-dire qu'Honoré ne veut plus qu'on les lui donne...

LE DOCTEUR.

Eh pourquoi?

PANISSE *(désolé)*.

Parce qu'il n'aime pas ça. Ça lui fait faire des grimaces, et puis il pleure !...

LE DOCTEUR.

Continue comme ça, et puis c'est toi qui pleureras.

FANNY

Rappelle-toi que le trône de la santé des bébés, c'est le pot. Un enfant qui n'a pas le ventre libre est beaucoup plus exposé aux contagions.

PANISSE.

Alors il faut lui donner une pilule tout de suite... *(Il court vers la chambre. Le docteur l'arrête).*

LE DOCTEUR.

Non. Demain matin. Maintenant, laisse-le dormir tranquille.

PANISSE.

Alors toi, tu me garantis absolument...

LE DOCTEUR.

Je ne peux pas te garantir absolument qu'il n'aura pas la coqueluche, comme je ne peux pas te garantir absolument que César n'est pas en train de couver une belle typhoïde...

CÉSAR.

Ça ne risque rien : je l'ai déjà eue.

LE DOCTEUR.

Et puis, s'il a la coqueluche, nous la soignerons. En tout cas, dès qu'il aura le ventre libre, il n'y aura plus aucun danger. Et maintenant, je vais dormir. Bonsoir à tous.

(Il sort.)

ACTE TROISIÈME

Scène VI

PANISSE, FANNY, CÉSAR, MARIUS.

PANISSE.

Je ne me fais pas trop de mauvais sang, parce que je sais qu'il exagère... Mais tout de même...

FANNY.

Ne t'inquiète pas, Honoré. Demain matin, tout ira bien.

PANISSE.

Si Dieu veut : Fanny, il y a une très grave question qui se pose. Je ne sais pas ce que Marius t'a dit avant que j'arrive. Mais à moi, il m'a dit qu'il avait l'intention de réclamer sa femme et son fils. Attends : laisse-moi parler. Pendant ces dix-huit mois de bonheur, je me suis fait souvent des reproches, surtout quand je te voyais, au début, inquiète, pensive, et même triste ; et je me disais : « Honoré, tu te flattes d'avoir fait une bonne action, mais dans le fond, on pourrait dire que tu as profité de la folie, peut-être passagère, d'un garçon de vingt ans, et de la détresse d'une fille bien jeune épouvantée par sa famille. Tu as fait le grand et le généreux : résultat, tu as la plus jolie femme et le plus bel enfant de tout Marseille.

CÉSAR.

Ça c'est vrai.

PANISSE.

Quand une bonne action vous rapporte le gros lot, elle n'est peut-être pas si bonne que ça. Et de plus, avant hier, j'ai eu cinquante-quatre ans. De temps en temps, il faut que je prenne une canne pour ma sciatique... Est-ce que j'ai le droit d'imposer ma vieillesse qui commence à une

221

femme de vingt ans? Voilà ce que je me dis *(à Marius)*. Toi, tes réclamations, je m'en fous totalement. Mais elle? C'est à elle de décider. Fanny, si tu désires une séparation, je prendrai tous les torts sur moi.

FANNY.

Tu parles sérieusement, Honoré?

PANISSE.

Oui, je t'aime assez pour ça.

FANNY.

Écoute...

PANISSE.

Non. Ne réponds pas tout de suite. Ce que j'ai dit est dit. *(Brusquement.)* Il a toussé! *(Il court ouvrir la porte de la chambre. Il demande.)* Il a toussé?

VOIX D'HONORINE.

C'est moi qui viens d'éternuer.

PANISSE *(sévère).*

A vos souhaits! Mais surtout tâchez de ne pas tousser près du berceau! *(Il se tourne vers Fanny.)* Vas-y, et empê-che-la de postillonner sur le petit. Les microbes des vieil-lards, ça vit péniblement en rongeant un vieux cuir, tu penses qu'ils sautent volontiers sur de la chair fraîche! *(Fanny est sortie.)* Alors, vous avez entendu ma proposition.

CÉSAR.

Elle est honnête.

MARIUS.

Naturellement, vous nous laissez l'enfant?

ACTE TROISIÈME

PANISSE *(indigné)*.

Ah non ! Ça c'est impossible !... D'ailleurs, ce n'est pas
l'enfant qu'il réclame ! Ce n'est même pas sa femme ! Ce
qu'il veut, et je le comprends, c'est son premier amour,
c'est la petite fille qu'il embrassait sur les quais, en jouant
aux cachettes derrière les sacs de café... Et puis tu es
jeune... Si tu veux des enfants, tu en auras d'autres. Mais
le mien, n'essaie pas de me le prendre ! C'est le seul, c'est
mon unique, c'est mon premier et mon dernier !

MARIUS.

Ah vous êtes malin, Maître Panisse ! Vous dites : la mère
peut partir, mais je garde l'enfant, parce que vous savez
que sans lui, la mère ne partira pas !

PANISSE.

Non, non, ce n'est pas une malice ! C'est pour lui-
même que je veux le garder... Et d'ailleurs, légalement,
c'est impossible. Il porte mon nom, et la loi ne permettra
jamais de le changer ! Et puis, tu n'as pas encore remarqué mon enseigne sur le magasin : « Panisse et Fils », en
lettres d'or. Et c'est aussi sur le portail de l'atelier, et
même sur toutes mes factures ! Et puis, tu devrais un peu
penser à son avenir ! Cet enfant a sa vie toute prête ! Il
héritera du magasin, de l'atelier, de la maison, de la villa
de Cassis, et d'une clientèle qui vaut des millions. Oui,
Monsieur. Et maintenant, je fais les hors-bord, et même
des Diesel. Ça m'a fait mal au cœur de trahir la voile, mais
c'est pour lui que je l'ai fait. Et en plus, il est déjà sur le
testament de mon frère, qui a soixante mille pieds de vigne
et sur celui des cousines de Vaison, qui lui laisseront onze
fermes et le petit château de Chantepierre ! Et c'est tout
ça que tu voudrais lui voler ? Non, non, tu ne te rends pas
compte. Il n'est pas qu'à nous, cet enfant : il est planté
en haut d'une famille comme une croix sur un clocher.
Puisque tu es sûr d'être son père, tu devrais faire passer

ton intérêt après le sien. La voix du sang devrait te le dire !
Et comme elle ne te dit rien, c'est qu'il y a un doute.

MARIUS.

Un doute? Un doute sur quoi?

(Panisse sourit.)

CÉSAR.

Qu'est-ce que tu veux dire?

PANISSE.

Je veux dire que j'ai depuis longtemps une idée que je
n'ai jamais osé dire à personne. Oui, c'est la vérité que
Fanny a cru qu'elle allait avoir un enfant de toi. C'est la
vérité qu'elle m'a dit oui, à cause de ça. Mais c'est aussi
la vérité que nous avons eu un accident d'automobile. Je
l'ai fait exprès, je le reconnais. J'ai ralenti tant que j'ai
pu, pour aller attraper ce pylône. Mais comme un imbécile,
je l'avais gardée près de moi : j'avais peur que quelqu'un
nous voie. Du coup, elle a frappé du front contre le pare-
brise. *(A Fanny.)* Est-ce que je mens?

FANNY.

Non. Ça c'est vrai.

PANISSE.

Et c'est à cause de ce choc que l'enfant est né le lendemain. Par conséquent, il est parfaitement possible que
Fanny se soit trompée, et que cet enfant soit mien.

CÉSAR.

Mon pauvre Honoré, je crois que tu dérailles...

PANISSE.

Pas du tout. J'en ai parlé à Félicien depuis longtemps.

ACTE TROISIÈME

Il m'a dit : « Ce n'est pas très probable, mais ce n'est pas impossible... Et puis, puis, moi je ne parle pas à la légère. J'ai une espèce de preuve, et même j'en ai plusieurs. D'abord, pour cet enfant, je me fais un mauvais sang dont vous n'avez pas une idée, parce que je le cache à tout le monde... Quand on l'a sevré, et qu'il ne voulait pas manger la bouillie, c'est moi qui ai maigri de sept kilos. Chaque nuit, une inquiétude me réveille il me semble qu'il ne respire plus, et je me lève d'un bond pour voir s'il est toujours vivant. Un jour, j'achète un livre de puériculture. Ah ! mes amis, quand j'ai lu toutes ces maladies, j'ai compris que la vie d'un bébé, c'est une petite bougie allumée dans un courant d'air. Je ne savais plus ce que je faisais. Le capitaine espagnol vient me commander un foc : je lui fais un tapecul et je lui facture une misaine. Est-ce que vous trouveriez naturel que je devienne à moitié fada pour un enfant qui serait un bastardon de Monsieur? Voyons, c'est la nature qui parle, c'est la voix du sang !

CÉSAR.

Ne t'imagine pas que tu es à moitié fada, parce que tu l'es complètement.

PANISSE.

Et tu ne sais pas tout, César. Tu ne sais pas le principal, et même Fanny ne le sait pas. Eh bien, cet enfant, des fois, le soir, au moment qu'il va s'endormir si je lui touche à peine le menton du bout du doigt, il me fait un petit sourire, un sourire gentil, gracieux... Un sourire que j'ai déjà vu, et c'est le sourire de ma mère !... Oui, parfaitement. Ça te fait rire, bien entendu : mais moi je sais ce que je vois, et que je vois de plus en plus souvent !

CÉSAR.

Toi, tu sais ce que tu vois et nous, nous savons ce qui s'est passé.

PANISSE.

Oui, nous le savons tous, mais nous ne l'interprétons pas de la même façon... Et c'est pour ça qu'il y a un doute. Ça je le reconnais. Il y a un doute, mais pour moi, ce doute s'affaiblit tous les jours. Surtout, depuis le jour qu'il a parlé. Et vous ne devineriez jamais le premier mot qu'il a dit. Il m'a regardé, il a ri, et *(la voix de Panisse s'assourdit, tremblante d'émotion)* il a dit : « Papa... » *(Il essuie une larme, puis s'écrie tout à coup.)* Et moi, son papa, comme un véritable idiot, je ne lui ai pas donné ses pilules depuis trois jours... Et c'est peut-être par ma faute qu'il va avoir la coqueluche... Par sensiblerie, j'ai mis sa vie en danger...

(La porte s'ouvre tout à coup et Honorine triomphale annonce : « Il est sur le pot ! »)

PANISSE.

Merci mon Dieu ! Merci ! *(il court, en riant nerveusement, vers le pot). (César et Marius se regardent, perplexes, ils attendent devant la porte de la chambre qui s'est refermée. Puis César sourit).*

CÉSAR.

Écoute, Marius, cette discussion, ça ne peut mener à rien pour le moment.

MARIUS.

Mais enfin, tu sais bien que l'enfant est mon fils...

CÉSAR.

Bien sûr, que je le sais. Il te ressemble comme deux gouttes d'eau. Mais quand même, lui, c'est un peu son père... Cet enfant, quand il est né, il pesait quatre kilos... Ceux-là, c'est sa mère qui les a faits. Maintenant, il arrive à sept... Ces trois kilos de plus, c'est trois kilos d'amour.

Moi, j'en ai donné ma petite part... Sa mère en a donné beaucoup, naturellement; mais celui qui a donné le plus, c'est Honoré. Et toi, qu'est-ce que tu lui as donné?

MARIUS.

La vie.

CÉSAR.

Les chiens aussi donnent la vie : pourtant, ce ne sont pas des pères... Et puis, cet enfant, tu ne le voulais pas. La vie, ne dis pas que tu la lui as donnée : il te l'a prise. Et Panisse a raison : ce n'est pas lui que tu veux : c'est sa mère. Ce n'est peut-être pas indispensable qu'elle divorce... Laisse tomber la marine, si tu reviens, et si tu l'aimes encore...

MARIUS.

Je l'aimerai toute ma vie...

CÉSAR.

Je crains bien qu'elle aussi... Alors, on verra. On verra ce qu'on verra, et qu'Honoré ne verra pas, parce qu'il ne voudra pas le voir. Allez, zou. Viens. Occupe-toi un peu de moi.

MARIUS.

On part comme ça, sans rien dire?

CÉSAR.

Qu'est-ce qu'on pourrait dire de plus? Et puis, ils en ont pour un quart d'heure : ils sont en plein dans la cérémonie du pot. Et après, il y aura une expertise, et un coup de téléphone au docteur. Moi, j'ai beaucoup de choses à te dire, tout en mangeant la daube que Félicie a faite ce matin. Réchauffée, c'est un délice. Surtout qu'elle y a mis une bonne poignée d'olives noires. Viens, mon fils.

FANNY

(Il pose son bras sur les épaules de Marius, et ils sortent sur la pointe des pieds.)

RIDEAU

FIN DE FANNY

FANNY

SCÈNES AJOUTÉES DANS LA VERSION CINÉMATOGRAPHIQUE

Les admirables ressources de l'art nouveau m'ont permis d'ajouter quelques courtes scènes qui éclairent l'action et accélèrent le mouvement dramatique de l'ouvrage.

Celles qui suivent se placent entre le second et le troisième acte.

SCÈNES CINÉMATOGRAPHIQUES

A LA TERRASSE DE CÉSAR

L'aube paraît sur la Bonne Mère de la Garde. Des dockers passent sur le quai désert. Un agent de police frappe aux volets du bar.

L'AGENT.

O César !... César !

(Les volets du 1ᵉʳ étage s'ouvrent. César paraît.)

CÉSAR.

Qu'est-ce que c'est ?

L'AGENT.

Maître Panisse m'a chargé de vous dire que l'enfant est en pleine opération de sa naissance !

CÉSAR.

C'est un garçon ?

L'AGENT.

On n'a pas encore vu le principal !

CÉSAR.

J'y vais tout de suite !

231

FANNY

LA SALLE A MANGER DE PANISSE

Le docteur Venelle fait sortir de la chambre Panisse, nerveux, qui essuie avec un mouchoir son visage ruisselant de sueur.

LE DOCTEUR.

Laisse-nous tranquilles, je t'en prie. Avec la sage-femme et Honorine, et la tante Claudine, on n'a pas besoin de toi. Tout se passe très normalement. Assieds-toi, et fais quelque chose. Écris des lettres, ou téléphone à ta famille.

PANISSE.

J'ai déjà prévenu mon frère, et les cousines de Valréas.

LE DOCTEUR.

Alors mange quelque chose, et bois un bon coup. Tiens, voilà Félix qui arrive !

(En effet, la face d'Escartefigue paraît derrière les vitres. Le docteur l'appelle, et lui fait signe d'entrer.)

LE DOCTEUR.

Entre, Félix !

(Le docteur rentre dans la chambre. Panisse prend une bouteille et des verres dans le buffet.)

ESCARTEFIGUE *(il commence à parler dans le vestibule).*

Justement, je venais te voir, parce que Monsieur Brun vient de me dire que tu as eu un accident d'automobile hier au soir ! C'est sérieux ?

PANISSE.

Non. L'accident lui-même n'est pas très sérieux...

SCÈNES CINÉMATOGRAPHIQUES

ESCARTEFIGUE.

Alors pourquoi tu as fait venir le docteur?

PANISSE.

Parce que ma femme est en train d'accoucher.

ESCARTEFIGUE.

Déjà?

PANISSE.

Eh oui! C'est à cause de l'accident! En revenant de notre villa de Cassis, dans un virage de la Gineste, j'ai accroché un pylône en ciment. Heureusement, je n'allais pas vite... On a eu une forte secousse, et c'est ça qui a décroché le petit... Et je suis très inquiet, parce que ça va être un enfant de sept mois!

ESCARTEFIGUE (*épanoui*).

Et alors? Moi aussi, je suis un enfant de sept mois! Et regarde un peu ce que ça a donné!

DANS LA VASTE COUR
D'UN VIEUX MAS DE PROVENCE

C'est une ancienne gentilhommière. Un valet, devant les écuries finit d'atteler un très beau cheval à un cabriolet verni. Un grand vieillard, d'allure paysanne, mais fort bien vêtu, surveille le valet. C'est le frère aîné de Panisse.

LE VIEILLARD.

Eh bien, tu vois, les gens ont tort. Et moi aussi, j'ai eu tort. Quand Honoré s'est remarié avec cette petite, nous avons tous pensé qu'il faisait une bêtise. Et puis, voilà qu'elle est en train de lui donner un enfant... Mon neveu. Ton futur patron, Clarius. C'est lui qui aura les vignobles.

FANNY

Il va falloir replanter les coteaux de la Pierre qui Chante, parce que les vignes sont trop vieilles : nous y mettrons de la clairette d'Espagne. Allez, zou, dépêche-toi.

LE VALET.

Vous ne voulez pas que je vous accompagne ?

LE VIEILLARD.

L'année prochaine, quand j'aurais quatre-vingts ans.

(Il monte dans le cabriolet, prend les rênes en main et le fouet dans l'autre.)

SALLE A MANGER DE PANISSE

Escartefigue, César et Panisse sont assis. Ils mangent des anchois, du saucisson, du fromage, et boivent de grands coups de vin.

PANISSE.

Et alors, au bout de cinq minutes, il me met à la porte !

CÉSAR.

Il a bien fait !

PANISSE.

Pas du tout. Parce que moi je lui parlais, je l'aidais...

ESCARTEFIGUE.

Et qu'est-ce que tu faisais pour l'aider ?

PANISSE.

Je lui tenais la main... Et tiens, regarde !

(Il tend sa main, grande ouverte.)

SCÈNES CINÉMATOGRAPHIQUES

PANISSE.

Elle souffrait tellement, la pauvre, qu'elle m'a enfoncé ses ongles !

CÉSAR *(il regarde la paume de Panisse).*
O peuchère ! Bois un coup, Honoré...

(Il remplit à ras bord le verre de Panisse. Le chauffeur du « fériboite » entre en courant.)

LE CHAUFFEUR.

Capitaine, capitaine, je vous cherche partout ! Ils sont quinze sur le bateau. Ils s'amusent à le faire balancer !

ESCARTEFIGUE.

Eh bien pourquoi veux-tu les empêcher de s'amuser ? J'attends la naissance du fils de Maître Panisse. Va leur dire que je suis retenu à la mairie. Allez, zou. Cours !

LE CHAUFFEUR.
Madame Honoré accouche ?

PANISSE.
Eh oui. Ça devait arriver !

LE CHAUFFEUR.
Oh mais dites, moi aussi, je reste. Moi, je suis curieux comme tout le monde, moi...

ESCARTEFIGUE.
File, marrias, dépêche-toi ! File !

(La porte de la chambre s'ouvre. Le docteur paraît, et annonce.)

FANNY

LE DOCTEUR.

C'est un garçon !

(Le vieux frère de Cassis vient de paraître et il répète joyeusement : « C'est un garçon ! J'en étais sûr ! » Tous se retournent.)

PANISSE.

Tu arrives à pic ! Allons vite le voir !

LE DOCTEUR.

Halte là ! Vous pouvez entrer sur la pointe des pieds, et sans rien dire, et une minute, pas plus !

(Tous s'écartent pour laisser passer le vieillard.)

LE VIEILLARD.

Moi, je suis obligé de lui dire quelques mots. C'est la tradition. Je suis le chef de famille, parce que je suis le plus vieux.

LE DOCTEUR.

Bon. Quelques mots — mais sans parler trop fort —. Et vous autres, motus. Allons-y.

(Ils entrent, derrière le docteur.)

SCÈNES CINÉMATOGRAPHIQUES

DANS LA CHAMBRE DE FANNY

C'est une grande chambre provençale. Les murs sont tendus de cretonne imprimée, les meubles sont tous anciens, les tapis sont épais.

Honorine et une très grosse sage-femme sont de part et d'autre du lit, la tante Claudine est au chevet du berceau.

Fanny, très pâle, mais souriante, est dans son lit. Tous entrent sur la pointe des pieds... Ils vont au berceau, et parlent à voix basse. Puis, le vieux frère va se placer au pied du lit de Fanny et parle avec une grande émotion.

LE VIEILLARD.

Belle-sœur, je ne t'ai vue qu'une fois, c'était le jour de ton mariage et pourtant je te tutoie parce que tu es de notre maison. C'est une maison honnête et riche, mais elle a toujours été un peu triste, parce que nous n'avions pas d'enfants, ni les uns ni les autres. Alors nous allions tous partir, chacun à son tour, le dernier aurait emporté notre nom. Mais toi tu viens, tu te couches et tu nous donnes un beau garçon. Eh bien moi, le plus vieux de la famille, au nom des cousines de Vaison, de nos tantes de Martigues, de tous nos parents de Camargue et même de tous ceux qui sont morts, j'ai attelé le cheval dans la nuit, pour pouvoir te dire toute notre joie. C'est un garçon... Merci, merci belle-sœur, merci...

TABLE DES ILLUSTRATIONS

REEDITION ACHEVEE D'IMPRIMER
LE 4 DECEMBRE 1991
ILLUSTRATIONS PAR SUZANNE BALLIVET

AUBIN IMPRIMEUR LIGUGE, POITIERS
RELIURE : CASTERMAN TOURNAI — BELGIQUE
LES OLIVIERS — SAINT-JACQUES DE GRASSE

Dépôt Légal 1er trimestre 1970
Répertoire du Commerce et de l'Industrie 61-P-2109

EDITIONS PASTORELLY
Productions de Monte-Carlo
Monte-Carlo